CODI LLAIS

CODI LLAIS

Gol. Menna Machreth

Argraffiad cyntaf: 2018

Dymuna'r cyhoeddwyr gydnabod cymorth ariannol
Cyngor Llyfrau Cymru

Cynllun y clawr: Steffan Dafydd

Rhif Llyfr Rhyngwladol: 978 1 78461 609 0

Cyhoeddwyd, rhwymwyd ac argraffwyd yng Nghymru gan
Y Lolfa Cyf., Talybont, Ceredigion SY24 5HE
gwefan www.ylolfa.com
e-bost ylolfa@ylolfa.com
ffôn 01970 832 304
ffacs 832 782

Cynnwys

Cyflwyniad

MENNA MACHRETH

Mae'n gan mlynedd ers i rai merched gael yr hawl i bleidleisio. Dim ond rhai, cofiwch – merched dros 30 oedd yn berchen ar eiddo – ac fe fyddai'n rhaid i'r merched eraill aros deng mlynedd arall cyn cael eu pleidlais. Digwyddodd y dathliad yn 2018 ar adeg pan mae mwy o sylw nag erioed yn cael ei roi i gydraddoldeb merched a dynion, a hynny'n bennaf oherwydd y drafodaeth ar raddfa fawr sy'n gallu digwydd ar-lein. Prif themâu'r drafodaeth newydd yw mynnu cyfiawnder i fenywod a gwrthwynebiad i aflonyddu rhywiol a thrais ar sail rhywedd (*gender*), ynghyd â'r anghrediniaeth fod rhai agweddau negyddol yn dal i fodoli tuag at ferched.

Drwy ddefnyddio cyfryngau cymdeithasol fel Facebook, Twitter, Instagram, YouTube ac eraill, daeth merched o hyd i lwyfannau i herio *misogyny*, hybu cyfartaledd rhwng y rhywiau a mynnu wynebu'r diwylliant sy'n goddef aflonyddu rhywiol yn y gweithle a'r stryd, trais ar gampysau prifysgol a diwylliant o drais. Daeth sgandalau fel y 'Delhi gang rape' yn 2012, yr honiadau yn erbyn enwogion gan gynnwys Harvey Weinstein yn 2017 a'r sgandal aflonyddu rhywiol yn San Steffan â ffocws i broblem ddiwylliannol ehangach. Os bu brwydrau'r gorffennol ynglŷn ag ennill statws cydradd yn y gyfraith, mae ffeminyddiaeth yr 21ain ganrif wedi symud ei golygon tuag at wahaniaethu sy'n llawer anoddach i'w fesur − ac anoddach i'w frwydro − gan ei fod yn mynd at wraidd ein diwylliant a'n systemau o feddwl fel pobl.

Gwelwn drafodaeth ar raddfa ddigynsail am hawliau menywod, wedi ei hwyluso gan rhwyddineb rhwydweithio a chyfathrebu ar-lein − a llu o lyfrau am y pwnc wedi eu cyhoeddi mewn blynyddoedd diweddar. Ymdrech yw'r gyfrol hon, felly, i gyfrannu at y drafodaeth fyd-eang drwy edrych yn bennaf ar storïau a sefyllfa merched yng Nghymru heddiw.

Ar ôl astudio *The Handmaid's Tale* gan Margaret Attwood ar gyfer fy arholiad Lefel A Saesneg (diolch i bwy bynnag ddewisodd y testun!) a mynd ymlaen i ddarllen nofelau eraill ganddi, doedd dim dwywaith yn fy meddwl fy mod i'n ffeminydd. Roeddwn i'n ymwybodol o'r caledi roedd merched wedi ei wynebu yn y gorffennol ac oherwydd bod fy mam yn fydwraig fe glywn yn llawer rhy aml am ferched yn byw mewn ofn oherwydd partneriaid treisgar. Gweithiwn yn galed gan wybod (neu dybio) bod pob llwybr bywyd posib ar agor i fi fel merch.

Pan gefais fabi ddeunaw mis yn ôl, fe ges i sioc o gael teimladau o euogrwydd fel ffeminydd. Pam, dwi ddim yn siŵr, ond o bosib am fy mod i wedi cael y syniad y dylai ffeminyddion fod allan yn y byd yn trio cael yr yrfa orau bosib a mynnu cydraddoldeb ym mhob peth. Yn sydyn, roedd gen i fwndel bach o gnawd yn sownd i'm bronnau ac roeddwn i'n rhyfeddu ato fe ac at allu fy nghorff i'w gadw'n fyw! Roeddwn i wedi cael y syniad anghywir fy mod yn gadael fy nhîm i lawr am wneud rhywbeth hollol naturiol i'r profiad o fod yn fenyw, ond dwi'n gweld nawr bod angen i famau fod yn ffeminyddion yn y cartref yn ogystal ag yn y byd mawr tu fas. Efallai bod ffeminyddiaeth wedi rhoi'r argraff fod un yn bwysicach na'r llall yn hytrach na gweld bod gwir ffeminyddiaeth yn rhoi rhyddid i bawb i ddilyn eu llwybr eu hunain. Mae euogrwydd yn rhywbeth nad yw'n diflannu ar ôl i fam ddychwelyd i'r gwaith, wrth geisio cael y balans rhwng ailennill eich lle ar yr ysgol yrfaol a rhoi'r plentyndod perffaith i'r epilod; y teimlad parhaus o golli dwy frwydr wrth agor *sachet* arall o fwyd babi achos prinder amser yn hytrach na chyflwyno pryd o fwyd maethlon Instagramadwy bob nos i'ch plentyn (na fydd yn bwyta'r wledd ta beth!). Yn lle edrych yn y drych a meddwl 'Beth sydd wedi digwydd i fi?' dylai mamau weld eu hunain fel dim llai na sêr! Does 'na ddim lefelau o ffeminyddiaeth – a rhaid i ni ferched beidio â thanseilio'n hunain na'n gilydd wrth feddwl bod rhai yn well nag eraill os ydyn nhw'n dewis mynd yn ôl i'r gwaith ai peidio.

I'r menywod sydd yn dychwelyd i'r gwaith, mae'r bwlch cyflog yn ymestyn rhwng dynion a menywod ar ôl mamolaeth; dim ond yn 2015 y cyflwynwyd y cyfle i rannu cyfnod absenoldeb rhiant o'r gwaith. Hyd yma, nid oes un wlad yn y byd lle bydd menywod yn ennill yr un faint â dynion. Rhoddodd sgandal cyflogau'r BBC y llynedd y chwyddwydr ar y bwlch cyflog sylweddol rhwng menywod a dynion sy'n gwneud yr un swydd yn union. Ysgrifennodd menywod at eu bòs yn y BBC a dweud wrtho am sortio'r mater.

Gall fod yn anodd cael y sgwrs am wahaniaethu yn erbyn menywod yn enwedig os nad yw pobl yn sylweddoli eu bod wedi gwahaniaethu ar sail rhywedd. Mae tueddd yn fater arall – y syniad bod ystrydebau am ferched sy'n parhau dan yr wyneb yn effeithio ar y ffordd y cânt eu gweld a'u trin, gan ei gwneud hi'n amhosib iddynt gystadlu ar faes chwarae gwastad â dynion. Mae gwaith Iris Bohnet o'r Harvard Kennedy School yn dangos bod tueddd yn gallu effeithio ar fenywod ym mhob cam o'u gyrfa. Er bod modd cynnig hyfforddiant i adnoddau dynol am hyn, nid yw gwneud rhywun yn ymwybodol o'r duedd yn gyfystyr â'i datrys.

Hyd yn oed pan gaiff merched wahoddiad i fod o gwmpas y bwrdd yn gydradd â dynion, yn aml maent yn camu i mewn i sefyllfa lle mae dull gwrywaidd o wneud pethau wedi teyrnasu. Pwy sydd heb gael y profiad o ddyn yn siarad yn nawddoglyd – yr habit anffodus sydd gan ddynion weithiau o 'esbonio' rhywbeth i fenywod oherwydd dydyn nhw ddim yn meddwl bod y ferch yn ei ddeall yn iawn? Yn ysgrif boblogaidd Rebecca Solnit 'Men Explain Things To Me' mae merched o'r genhedlaeth iau yn sylweddoli nad yw cydraddoldeb mewn cyfraith yr un peth â chydraddoldeb mewn bywyd bob dydd.

Diffyg hyder a hunanamheuaeth yw'r brwydrau mwyaf sy'n wynebu menywod – brwydr rwy'n gwybod fy mod i'n ei hymladd drwy'r amser – ac mae ysgrif Elin Jones AC yn ysbrydoledig yn y ffordd mae hi'n sôn am fod yn hyderus wrth weithredu mewn ffordd fenywaidd, sy'n wahanol i'r diwylliant dynol sydd wedi tra-arglwyddiaethu. Pan ddaeth Barack Obama yn Arlywydd Unol Daleithiau America, roedd dau draean o'i gynorthwywyr yn ddynion, a chwynai'r menywod am gael eu cadw allan o gyfarfodydd pwysig. Felly fe fabwysiadon nhw strategaeth mewn cyfarfodydd a alwyd yn *amplification*, sef pan oedd menyw yn gwneud pwynt mewn cyfarfod, byddai menyw arall yn ei ailadrodd gan roi clod i awdur y pwynt. Gorfodwyd y dynion yn yr ystafell i ystyried y pwynt a'u nadu rhag cymryd y pwynt hwnnw a hawlio'r clod amdano. Sylwodd Obama a dechrau gwahodd mwy o ferched i'w gyfarfodydd.

Un o'r pethau sy'n amlwg yn ysgrifau'r gyfrol hon yw nad oes awydd i golbio pob dyn am eu bod yn ddynion, ond mae 'na awydd i fod yn gydradd â nhw. I newid diwylliant, rhaid cael sgyrsiau gyda dynion o oedran ifanc, a gofyn iddyn nhw fod yn rhan o'r newid – i fod yn ffeminyddion eu hunain. Mae ymgyrch yr actores Emma Watson #heforshe yn annog dynion i gymryd ochr merched ac i fod yn rhan o'r stori i weld newid radical mewn cydraddoldeb.

Mae rhywiaeth (*sexism*) y dyddiau yma'n digwydd heb fod neb yn sylwi bron. Bu'r ymgyrch 'Everyday Sexism' yn ffordd i ferched gofnodi'n gyhoeddus enghreifftiau o rywiaeth a brofwyd ganddynt, gyda'r canlyniad o gasglu stôr o dystiolaeth ei fod yn dal i fod yn fyw ac yn iach.

Dywedodd Laura Bates yn ei llyfr *Everyday Sexism* (2014) sy'n gasgliad o'r enghreifftiau:

> I [had] hoped to gather 100 women's stories, if I was lucky. Instead, it spread like wildfire. A video-shop cashier, a midwife and a marketing consultant suffered indistinguishable experiences of sexual assault by senior male colleagues. A schoolgirl and a widow reported being pressured and pestered for sex. A reverend in the Church of England was repeatedly asked if there was a man available to perform the wedding or funeral service… A DJ explained how constant harassment and groping had made her dread the job she once loved.

Ydy, mae'r we wedi bod yn fodd i fenywod i gydleisio'r argyfwng tawel am y driniaeth sy'n cael ei goddef gan ferched yn ddyddiol. Ond mae'r we hefyd yn caniatáu i bobl ateb yn ôl ac yn aml caiff y rhai sy'n codi llais eu bygwth gan leisiau eraill. Does dim dwywaith chwaith fod y cyfryngau cymdeithasol yn amlygu'r rhwyg rhwng menywod wrth i ffeminyddion ddadlau ymysg ei gilydd ac ymosod yn eiriol ar ei gilydd wrth anghytuno a thaflu cyhuddiadau.

Yn sicr, mae yna lawer o anghytundeb o fewn ffeminyddiaeth am wahanol bynciau. Mae'r materion cymdeithasol, seicolegol a diwylliannol mae ffeminyddion heddiw'n ceisio eu herio yn fwy cymhleth. Fel yr ysgrifenna

Mabli Jones yn ei hysgrif, dylid gwneud *critique* o'r syniad o ddewis. Ni ellir gwahanu'r penderfyniadau a wnawn fel unigolion oddi wrth yr amodau diwylliannol, cymdeithasol a hanesyddol sydd ynghlwm â nhw; gall menywod ymbweru eu hunain a meddu ar y swyddi uchaf, ond nid yw'n golygu y daw newid go iawn i gymdeithas.

Mae canran uchel o fenywod yn gwneud swyddi cyflog isel. Mae'r rhyddid ganddynt i ddewis y swyddi, ond mae tuedd i swyddi sy'n cael eu cysylltu â menywod i fod yn swyddi cyflog isel, e.e. gofalwyr, gwaith domestig, ac yn y blaen, hyd yn oed i gymharu â swyddi dynion sydd angen sgiliau tebyg. Roeddwn i'n gegrwth wrth wrando ar ddadl ar y teledu rai misoedd yn ôl yn sôn am yr her gyfreithiol i archfarchnadoedd am fod gweithwyr llawr y siop (menywod gan mwyaf) yn cael eu talu'n llai na gweithwyr warws archfarchnad (dynion gan mwyaf). Y farn gyffredin oedd bod gwaith y menywod yn haws ac yn haeddu llai o gyflog. Ond mae'r ddau o'r un gwerth, ac felly dylai fod cydraddoldeb cyflog. Roedd hi'n amlwg i fi fod llawer o waith i'w wneud os ydym am weld merched yn cael eu talu'n deilwng am y gwaith maen nhw'n ei gyflawni, nid yn llai oherwydd eu rhywedd.

O sefyll ochr yn ochr â'n chwiorydd yn fyd-eang sy'n ymgyrchu yn erbyn trais ar sail rhywedd (e.e. 'Ni una menos' De America) i ymgyrchu i gau Canolfan Symud Ymfudwyr Yarl's Wood sy'n cadw menywod mewn amgylchiadau gwarthus; o drafod cydsyniad yn agored â disgyblion ysgol ac i geisio cael mwy o fenywod yn ein cynrychioli yn y Senedd, yn sicr, mae 'na ddigon i ni godi llais yn ei gylch.

Fy ngobaith i yw y bydd y gyfrol hon yn cofnodi profiadau merched Cymru heddiw ac yn ysbrydoliaeth i'r genhedlaeth nesaf.

Dyma'r dial a wnaethant, gyrru Branwen o'r un ystafell ag ef a'i gorfodi i bobi yn y llys, a pheri i'r cigydd, wedi iddo fod yn torri cig, ddod ati a tharo bonclust iddi bob dydd.
Ac felly y gwnaed ei chosb.

Branwen Ferch Llŷr, *Y Mabinogion*
(diweddariad gan Dafydd a Rhiannon Ifans, 1980)

1

O'r cyrion i'r canol: dros ryddid i bob menyw

MABLI JONES

'Nid wyf yn rhydd tra bod un fenyw ddim yn rhydd,
hyd yn oed pan fo'i chyffion hi'n wahanol iawn i'm rhai i.'
Audre Lorde

Beth yw pwrpas ffeministiaeth? Ai ymgais i sicrhau cydraddoldeb i fenywod o fewn ein cymdeithas, neu brosiect chwyldroadol i drawsnewid y gymdeithas honno a chreu cyfundrefn newydd? Dros y blynyddoedd diwethaf daeth ffeministiaeth i'r amlwg o'r newydd a chafwyd sgyrsiau cyhoeddus am hawliau menywod, heb fod y rheiny'n mynd i'r afael bob tro â'r cwestiynau mawr am amcanion ffeministiaeth a'r rhwygiadau ideolegol o fewn y mudiad. Ar yr un pryd, gwelwn rymoedd adweithiol yn tyfu ar draws y byd ac yn bygwth y cynnydd a fu. Yng nghyd-destun hyn oll, mae'n werth gofyn: dros beth yn union ydyn ni'n brwydro?

Mae llawer o ddathliadau canmlwyddiant 1918 wedi dangos tueddiad i orsymleiddio ein hanes a dadwleidyddoli'r ddadl am hawliau menywod. Gwelir Deddf Cynrychiolaeth y Bobl 1918 fel cam mawr cychwynnol tuag at gydraddoldeb, ac o'r fan honno fe'n harweiniwyd yn ddi-dor ar daith o gynnydd hyd heddiw, gan gredu bod pawb yn derbyn ac yn dathlu cydraddoldeb. Prin yw'r drafodaeth am gymlethdodau'r ymgyrch dros y bleidlais. Ni thrafodwyd y rhwygiadau a fu rhwng yr ymgyrchwyr ar y pryd, nac ystyried cwestiynau am ddulliau gweithredu, na'r ffaith i fenywod breintiedig ennill eu hawl i bleidleisio oherwydd eu cydweithredu yn yr ymdrech rhyfel a phrosiect imperialaidd Prydain. Nid oes llawer o gydnabyddiaeth i'r ystod eang o bobl a gafodd eu heithrio gan y ddeddf; wrth ymestyn yr hawl i bleidleisio i fenywod dros 30 oed â pherchnogaeth ar eiddo, roedd y ddeddf yn eithrio menywod iau, dosbarth gweithiol a menywod y trefedigaethau. Llwyddiant i'r menywod mwyaf breintiedig oedd 1918, a gellir dadlau nad damwain oedd hynny. Roedd yn llawer haws i'r sefydliad fodloni'r menywod â'r lleisiau cryfaf, ac oherwydd eu statws yn y gymdeithas, roeddent yn llawer llai tebygol o eisiau newid y drefn unwaith iddyn nhw gael dweud eu dweud oddi fewn iddi.

Mae llawer o'r drafodaeth am hawliau menywod sy'n cael sylw yn ein sffêr gyhoeddus yn dangos tueddiad i ddadwleidyddoli ffeministiaeth, a daw hyn yn amlwg iawn yn y disgwrs am 'rymuso' neu *empowerment* a'r ffocws unigolyddol a geir mewn sgyrsiau am hawliau menywod.

Tueddir i fesur cydraddoldeb ar sail cynrychiolaeth gyfartal a thrafod grymuso menywod o fewn ein system bresennol, heb ddadansoddiad dyfnach o'r modd y caiff grym ei strwythuro a'i ddefnyddio yn ein cymdeithas.

Un o enghreifftiau mwyaf blaenllaw'r tueddiad yma yw Sheryl Sandberg, Prif Swyddog Gweithredu Facebook, sy'n galw ar fenywod yn ei llyfr *Lean In* i feithrin uchelgais a hunanhyder yn y gweithle. Y brif broblem gyda gweledigaeth Sandberg yw ei bod hi'n canolbwyntio ar yr unigolyn, yn lle'r system ehangach. Yn lle archwilio beth yw achosion anghydraddoldeb, mae'n ceisio newid y symptomau. Mae'r un tueddiad yn aml ar waith mewn ymdrechion i daclo'r bwlch cyflog neu i gael mwy o fenywod ar fyrddau cwmnïau mawr ac yn ein senedd-dai. Yn y bôn, dyw rhoi nifer fechan o fenywod mewn safleoedd o rym neu gyfoeth mewn system anghyfartal, fel yr un sydd gennym ni, ddim am sicrhau cyfiawnder i'r mwyafrif. Dim ond y menywod mwyaf breintiedig sy'n derbyn manteision y ffeministiaeth hon. Mewn cymdeithas a fyddai'n rhoi rhyddid i bob menyw, ni fyddai'r fath anghyfartaledd grym yn bodoli yn y lle cyntaf.

Mae hanes hir gan fudiadau ffeministaidd o flaenoriaethu buddiannau rhai menywod ac eithrio eraill, o ganlyniad i ddiffyg dealltwriaeth am brofiadau neu anghenion eraill. Ar adegau, bu ymdrech bwrpasol i danseilio menywod oedd yn cwestiynu blaenoriaethau ffeministiaeth. Ambell waith, roedd yn ganlyniad i benderfyniadau strategol y mudiad ffeministaidd y byddai'n haws sicrhau hawliau i rai ar draul

hawliau i bawb. Roedd ymdrechion ffeministiaeth 'ail-don'
(yr enw a roddir i ffeministiaeth yn ystod y 50au–70au)
i sicrhau cynrychiolaeth menywod yn y gweithle yn aml
yn anwybyddu profiadau a brwydrau menywod dosbarth
gweithiol ac o leiafrifoedd ethnig nad oedd yn ffitio
ystrydeb y wraig tŷ dosbarth canol. Dyma'r union fenywod
a oedd weithiau'n gweithio i'r menywod dosbarth canol a
arweiniai'r ymgyrchu.

Bu hefyd ymgais fwriadol i gadw lesbiaid a menywod
deurywiol allan o'r mudiad ffeministaidd, gan gyfeirio
at 'y bygythiad lafant' roedden nhw'n ei gynrychioli i
barchusrwydd a llwyddiant ffeministiaeth. Heddiw gwelwn
garfan o fenywod yn ceisio eithrio menywod traws o
ffeministiaeth, gan godi bwganod am oblygiadau hawliau
i bobl draws, a cheisio mynnu bod rhywedd a hunaniaeth
yn seiliedig ar ein cyrff yn unig. Heb sôn am y syniadau
simplistaidd am rywedd sydd ymhlyg yn y meddylfryd
yma, mae'n beryglus ceisio honni mai dim ond un ffordd
sydd o fod yn fenyw, neu fod profiadau menywod i gyd yn
debyg. Mae croestoriad hil, dosbarth, cyfeiriadedd rhywiol,
iaith ac anabledd yn dangos nad yw hynny erioed wedi
bod yn wir. Yn lle cynghreirio â menywod eraill – ar
sail profiadau o wahaniaethau, gorthrwm a chamdriniaeth
a dod i ddeall sut fo'n gwahaniaethau yn gryfder – mae
nifer wedi eu heithrio o achos ofn, camddealltwriaeth neu
ragfarn. Ond dydy blaenoriaethu rhai ar draul hawliau eraill
ddim yn mynd i sicrhau cynnydd go iawn. Dydy ceisio
codi ffiniau a chyfyngu pwy sy'n cael eu hystyried yn fenyw

ddim yn mynd i weithio. Mae angen ffordd arall o feddwl a gweithredu.

Methiant y mudiad ffeministaidd, yn ôl y damcanieithydd bell hooks, oedd y diffyg dealltwriaeth o'r amrywiaeth o brofiadau ymysg menywod. Trwy ganolbwyntio ar un math o fenyw ac un math o orthrwm, roedd ffeministiaeth brif ffrwd yn eithrio nifer fawr o fenywod ac yn methu adeiladu mudiad torfol. I'r menywod a oedd hefyd wedi profi mathau eraill o orthrwm, e.e. gorthrwm ar sail hil, dosbarth cymdeithasol, cyfeiriadedd rhywiol neu anabledd, nid oedd ffeministiaeth nad oedd yn cydnabod y gwahanol fathau o orthrwm a sut roedden nhw'n croestorri yn berthnasol iddynt. Ysgrifennodd hooks yn ei llyfr *Feminist Theory: From Margins to Center* mai 'o'r cyrion i'r canol' y dylai ffeministiaeth weithredu. Hynny yw, dylid gosod y menywod sydd ar y cyrion, y rhai sy'n dioddef fwyaf o dan systemau o orthrwm, yng nghanol ein gwaith. Dylem wella'r ddealltwriaeth o'r problemau rydyn ni'n eu hwynebu trwy wrando ar y menywod hyn, a dylem gynnwys eu rhyddid yn amcanion ein ffeministiaeth. Dyma'r gwrthwyneb i weledigaeth Sheryl Sandberg. Yn lle gwella pethau i'r menywod ar y top a gobeithio y bydd enillion yn diferu i lawr at y menywod lleiaf breintiedig, dylid gweithio o'r gwaelod i fyny. Yn lle ceisio newid pethau i rai menywod o fewn y system, rhaid newid y system er lles pawb.

Sut fyddai gweithio o'r cyrion i'r canol yn newid ein blaenoriaethau? Credaf y byddem yn wir yn gweld y cwlwm rhwng brwydr menywod a'r frwydr dosbarth. Byddem yn sylweddoli nad oes modd cael cydraddoldeb go iawn trwy benodi ambell fenyw yn brif weithredwyr ar gwmnïau mawr; cwmnïau sy'n ymgyfoethogi ar draul menywod sydd ar gyflogau isel ac yn gweithio mewn amodau gwaith gwael. Mae'r sectorau sy'n cyflogi'r niferoedd mwyaf o fenywod – gwaith gofal, mân-werthu, glanhau, y diwydiant rhyw – ymysg y rhai sydd â'r amodau gwaethaf. Dylai ymdrechion dros driniaeth deg yn y gweithle ganolbwyntio ar gefnogi brwydrau dros gyflogau uwch, gofal plant am ddim, ymgyrchu yn erbyn cytundebau sero awr a thros amodau teg megis pensiynau da a thâl salwch. Trwy sicrhau amodau gwell i'r menywod ar gyrion ein heconomi, byddwn yn gwella profiadau pawb.

Byddai hyn hefyd yn golygu gwrthwynebu'r agenda llymder a diwygio lles fel rhan o'r frwydr ffeministaidd, gan ddeall yr effaith a gaiff toriadau i arian cyhoeddus ar fenywod. Er enghraifft, dylid mynd i'r afael â Chredyd Cynhwysol sy'n talu pob budd-dal i brif enillwr incwm y tŷ, oherwydd mae'n fodd o rwystro menywod sy'n cael eu cam-drin rhag gadael yr aelwyd ac yn eu gadael mewn sefyllfa o berygl. A beth am y toriad i fudd-daliadau plant ar ôl yr ail blentyn heblaw bod menyw yn gallu tystio ei bod hi wedi cael ei threisio? Dyma'r toriadau sy'n golygu bod llochesi camdriniaeth ddomestig yn cau, a swyddi is yn y sector cyhoeddus (lle ceir cynrychiolaeth gref o fenywod) yn cael eu colli. Hefyd, byddem yn gweld bod y ffactorau economaidd hyn yn amlygu eu hunain yn wahanol i fenywod gwahanol, gyda menywod anabl a menywod o leiafrifoedd ethnig yn llawer mwy tebygol o brofi tlodi. Ni fyddem yn diystyru gofal ond yn ei osod wrth galon ein dealltwriaeth o'r economi, gan ddeall bod yr economi yn ddibynnol ar waith digyflog miliynau o fenywod sy'n gofalu am eu plant, eu teuluoedd a'r henoed. Fe frwydrem dros gydnabyddiaeth deg i'r gwaith yma, a'i werthfawrogi'n llawn. Byddem yn cydnabod gwaith rhyw fel gwaith, ac os nad ydym eisiau i fenywod gael eu gorfodi i mewn i waith rhyw, byddem yn taclo'r amodau economaidd – torri budd-daliadau, statws mewnfudo, swyddi bregus a thlodi – sy'n gallu gorfodi pobl i mewn i'r diwydiant rhyw. Fe elem ati i wella diogelwch ac amodau gwaith i'r sawl sy'n gweithio yn y diwydiant a rhoi diwedd ar gosbau troseddol i weithwyr rhyw.

Wrth edrych o'r cyrion i'r canol fe ddown i ddeall nad yw menywod yn rhydd tan fod y rhai mwyaf bregus ohonom yn rhydd:

Y menywod sydd dan glo yng nghanolfan gadw Yarl's Wood; y rheiny sydd wedi ffoi erledigaeth a thrais yn eu gwledydd brodorol a dod i Brydain yn gobeithio am fywyd gwell, a chânt eu carcharu heb derfyn amser dan amodau erchyll, lle mae camdriniaeth yn rhemp a disgwylir i garcharorion weithio am £1 yr awr.

Y menywod Mwslimaidd sy'n dioddef ymosodiadau, aflonyddu a chasineb am wisgo symbol gweladwy o'u crefydd.

Y mamau sengl yn gweithio mewn swyddi cyflog isel bregus, ar gontractau sero awr.

Y menywod traws sy'n dioddef ymosodiadau treisgar am fod yn driw i bwy ydyn nhw ond y cânt eu heithrio gan rai yn enw ffeministiaeth.

O edrych o'r cyrion i'r canol, deallem fod y brwydrau yma'n frwydrau dros bob menyw. Nid yw'r un fenyw'n wir yn rhydd i wisgo fel mae hi eisiau, tan fod menywod Mwslimaidd yn rhydd i wisgo hijab heb ofni casineb neu feirniadaeth. Nid yw'r un fenyw'n rhydd rhag disgwyliadau a chyfyngiadau normau rhywedd heb fod rhyddid gan bobl draws i fynegi eu hunaniaeth. Nid oes yr un ohonom yn rhydd rhag bygythiad trais yn erbyn menywod tra bod y wladwriaeth yn carcharu a cham-drin rhai o'r menywod mwyaf bregus yn ein plith. Mae ein holl frwydrau ynghlwm â'i gilydd.

Mae gweithio o'r cyrion i'r canol yn golygu ailystyried ein dulliau ymgyrchu. Ydyn ni'n gwneud digon i gynnwys pawb yn ein mudiadau? Pa leisiau sy'n cael sylw a phlatfform? Pa faterion ydyn ni'n eu blaenoriaethu ac ar bwy maen nhw'n effeithio? Mae'n golygu ystyried beth yw ein breintiau ni, a sut effaith a gânt ar y ffordd rydym yn gweld y byd ac yn deall gorthrwm. Yn bennaf, mae'n golygu gwrando: gwrando â gostyngeiddrwydd ar brofiadau eraill a bod yn barod i ddysgu oddi wrthynt, hyd yn oed pan olyga wynebu ein hanwybodaeth a'n breintiau ni. Gall fod yn hynod heriol, ac mae'n waith llawer caletach i flaenoriaethu materion ar y cyrion ac ymgyrchu am newid systemig. Ond mae cymaint i'w ennill o'r ffordd yma o weithredu. Mae'n golygu adeiladu mudiadau eang, cynhwysol o'r gwaelod i fyny, lle gallwn rannu ein gwahanol brofiadau a dysgu oddi wrth ein gilydd. Mudiadau a fydd yn adlewyrchu'r byd yr hoffem ei greu. Dyna fyddai grym go iawn.

Beth all ffeministiaeth fod, beth allwn ni gyflawni, os cofleidiwn ni'r weledigaeth hon?

Byddai'r mudiad yn parhau i dyfu, ac yn cynnwys amrywiaeth o leisiau a fyddai'n deall ac yn gwerthfawrogi'r biliynau o wahanol ffyrdd i fod yn fenyw.

Byddai'r mudiad yn dymchwel systemau anghyfiawn, yn lle ceisio cynnwys menywod ynddynt.

Byddai'r mudiad yn ceisio adeiladu economi a chymdeithas deg, yn lle hyrwyddo rhai menywod ar y top.

Byddai'r mudiad yn brwydro dros weledigaeth iwtopaidd o gymdeithas, heb gyfyngu ei hun i'r pethau sy'n cael eu hystyried yn 'bosibl' ar hyn o bryd.

Gosodai'r mudiad weledigaeth am gymdeithas lle cawsai gwaith menywod ei werthfawrogi, lle byddai pawb yn rhydd i fynegi a phrofi eu rhywedd fel y dymunent, cymdeithas heb drais na chamdriniaeth.

Er mwyn i ffeministiaeth gyflawni ei photensial i chwyldroi ein byd, rhaid i ni frwydro dros ryddid i bob un fenyw, a gollwng y mythau sy'n ein gwahanu. Mythau sy'n dweud bod ein hawliau mewn cystadleuaeth ac mai dim ond hyn a hyn o gyfiawnder sydd i'w ddyrannu ymysg pawb, felly bydd rhai ar eu colled. Llwfrdra moesol ydy cael ein twyllo gan hyn a brwydro dros rai menywod yn unig. Gwir radicaliaeth, gwir weledigaeth a gwir galondid ydy cydnabod bod ein brwydrau i gyd yn plethu, a deall nad oes rhyddid i neb, heb ryddid i bawb.

One person cannot make up for the evils
of a whole system and it is the system that is to blame –
the system of narrowness and of pride,
and of exclusiveness, and of no one doing anything for
another, unless there is something to be gained in return.

The Rebecca Rioter Amy Dillwyn (1880)

2
Curo ar Ddrysau Grym: #fihefyd ac aflonyddu rhywiol yn San Steffan

ELLIW GWAWR

Dyw Tŷ'r Cyffredin ddim fel unrhyw weithle arferol. Pan dwi'n cerdded i fewn i'r gwaith trwy goridorau hynafol San Steffan, mae'n teimlo fel cerdded trwy amgueddfa. Dwi wedi gweithio yma ers blynyddoedd nawr, ond dwi'n dal i deimlo pwysau hanes o'm cwmpas ym mhobman. Wrth edrych yn agosach, mae'n amlwg mai hanes gwrywaidd iawn ydyw. Cerfluniau o ddynion sy'n syllu i lawr arna i yn y coridorau mawreddog, a gwleidyddion gwrywaidd sydd bennaf wedi'u peintio ar y cynfasau sy'n addurno'r waliau.

Oes, mae 'na gofebion i weithredoedd dewr y swffragetiaid fu'n brwydro mor galed i sicrhau bod menywod fel fi yn gallu crwydro'n rhydd o gwmpas y Senedd. Ond mae'n rhaid edrych yn graff i ddod o hyd iddyn nhw. I lawr y grisiau serth tuag at yr eglwys fechan danddaearol yn Nhŷ'r Cyffredin, mewn cwpwrdd di-nod, mae'r gofeb i Emily Wilding Davison, y swffragét gafodd ei lladd gan geffyl y brenin. Fe guddiodd hi yn y cwpwrdd bychan yma ar noson y cyfrifiad yn 1911, er mwyn gallu nodi mai Tŷ'r Cyffredin oedd ei chyfeiriad, mewn protest i bwysleisio nad oedd gan fenywod yr un hawliau gwleidyddol â dynion.

Gan mlynedd ers i fenywod sicrhau'r un hawl i bleidleisio, sgwn i beth fyddai ei barn hi am y sefyllfa bresennol? Er i'r fenyw gyntaf gael ei hethol i'r Senedd yn 1918, wnaeth y llifddorau ddim agor yn syth. 'Dan ni'n dal ymhell iawn o gael cynrychiolaeth gyfartal yn y byd gwleidyddol. Dynion yw mwyafrif aelodau'r ddwy siambr o hyd. Fe gafodd y nifer uchaf erioed o fenywod eu hethol yn 2017, gyda 32% o'r ASau yn fenywaidd. Ond cyn i bawb ddechrau gorfoleddu, dim ond 489 o fenywod gafodd eu hethol yn ystod y ganrif ddiwethaf, tra etholwyd 442 o ddynion yn 2017 yn unig. Mae hanes, iaith a diwylliant San Steffan yn parhau i fod yn wrywaidd iawn a dyw menywod yn dal ddim yn cael eu trin â'r un parch a thegwch â'u cyd-weithwyr gwrywaidd.

Yn 2003 fe lwyddodd y Cynulliad i dorri tir newydd drwy fod y senedd genedlaethol gyntaf i sicrhau cynrychiolaeth hollol gyfartal rhwng y rhywiau. Ond mae pethau wedi llithro ers hynny, ac wrth gwrs dyw Cymru ddim wedi cael prif weinidog benywaidd eto, sy'n dangos nad oes modd gorffwys ar eich rhwyfau pan ddaw hi i gynrychiolaeth menywod.

Felly, ar ôl Weinstein yn Hollywood, a'r ymgyrch #metoo, doedd o ddim yn syndod mawr mai un o'r llefydd nesaf i gael ei daro gan honiadau o aflonyddu rhywiol oedd y byd gwleidyddol. Dyma fyd sy'n llawn dynion – ond yn fwy na hynny, dyma ddynion sydd â statws, egos, a grym sylweddol dros y bobl ifanc frwdfrydig sy'n gweithio iddyn nhw. Rhowch nosweithiau hwyr mewn bariau rhad, funudau o'r swyddfa, i mewn i'r potes hefyd ac mae gennych chi ddiwylliant sy'n meithrin ymddygiad amhriodol.

Am flynyddoedd mae menywod yn San Steffan, ac yn y Cynulliad hefyd, wedi bod yn rhannu straeon ymysg ei gilydd ynglŷn â'r profiadau amhleserus ac anghyfforddus maen nhw wedi'u cael yng nghwmni gwleidyddion. Ac yn rhannu nodiadau ynglŷn â phwy i'w osgoi mewn lifft ar eich pen eich hunan neu pwy ddylid bod yn wyliadwrus ohono. Mae gen i fy straeon fy hun hefyd, ac rwyf wedi gorfod delio gyda gwleidydd yn ymddwyn yn amhriodol tuag ata i ar fwy nag un achlysur.

Fe roddodd ymgyrch #metoo y nerth i rai menywod siarad yn gyhoeddus am eu profiadau am y tro cyntaf. I ddweud, o'r diwedd, nad yw'n iawn i'ch bòs neu gyd-weithiwr i'ch cyffwrdd yn amhriodol, i geisio eich cusanu, i yrru negeseuon awgrymog, neu lawer gwaeth. Wrth gwrs dyw profiadau pawb ddim yr un peth; mae rhai o'r honiadau yn llawer mwy difrifol nag eraill. Ond mae 'na un peth yn gyffredin rhyngddynt, sef y gred nad oedd pwynt cwyno, un ai oherwydd y pwysau i beidio â chodi embaras ar eu plaid neu'r pryder am yr effaith ar eu gyrfaoedd. A chyda balans y grym wastad yn nwylo'r aelodau etholedig, y pryder ynghylch pwy fyddai'n gwrando. Y teimlad oedd mai ni ddylai newid ein hymddygiad, nid yr aelodau seneddol.

Fel y dywedais, dyw San Steffan ddim fel unrhyw swyddfa gyffredin; nid oes proses ddisgyblu glir, felly mae'n anodd iawn delio â chyhuddiadau o ymddygiad amhriodol. Mae swyddfeydd aelodau yn cael eu rhedeg fel busnesau bach, heb system adnoddau dynol annibynnol ar gyfer eu staff. Ac os ydych chi'n newyddiadurwr, yn was sifil, neu'n gweithio ym mwytai neu fariau'r Senedd, yr un yw'r broblem. At bwy ewch chi â'ch cwyn? Does dim system gwynion ac nid oes modd cosbi aelodau etholedig os ydyn nhw'n camymddwyn. Felly pam corddi'r dyfroedd a chwyno?

Does ryfedd felly fod cymaint o fenywod yn teimlo nad oedd ganddyn nhw lais tan i straeon ddechrau torri yn y wasg. Yn bersonol, doeddwn i ddim eisiau gwneud ffŷs ynglŷn â rhywbeth yr oeddwn i'n teimlo oedd i'w ddisgwyl yn fy math i o waith. Mae disgwyl i ni gymdeithasu gyda gwleidyddion, i fagu perthynas â nhw er mwyn cael straeon. Ac fel menyw ifanc, mewn grŵp o ddynion hŷn, onid oedd pethau fel hyn yn mynd i ddigwydd? Beth fyddwn i'n ei gyflawni trwy gwyno, heblaw am wneud fy ngwaith yn anoddach fyth? Pwy fyddai eisiau gael ei holi gen i byth eto?

Ond wrth i un fenyw ar ôl y llall ddechrau siarad am eu profiadau, sylweddolais eu bod yn brofiadau digon tebyg i'm rhai i. Fe sylweddolais nad oedd yr hyn a ddigwyddodd i fi yn dderbyniol, nac yn anochel oherwydd natur fy swydd. Fyddai o byth wedi digwydd petawn i'n ddyn, felly pam ddylwn i ddioddef am fy mod i'n fenyw? Wrth gwrs, am bob menyw oedd yn barod i siarad roedd cymaint mwy yn cadw'n dawel. Yn ôl un arolwg diweddar roedd bron i un o bob pump o'r bobl sy'n gweithio yn San Steffan wedi wynebu aflonyddu rhywiol yn y flwyddyn ddiwethaf. Nid problem fechan yw hon.

Ond dwi'n deall pam fod cynifer yn dal i gadw'n dawel pan fo cymaint o'r rhai sydd wedi meiddio siarad am eu profiadau wedi cael eu cyhuddo, gan ddynion a menywod, o wneud ffŷs am ddim byd. Beth sy'n bod efo ychydig bach o fflyrtio? Ffeministiaeth yn mynd yn rhy bell yw hyn. Sut mae dynion i fod i wybod bellach sut i ymddwyn o gwmpas menywod?

Wel, mae'r rhan fwyaf o ddynion sy'n gweithio yn San Steffan yn gwybod yn iawn sut i ymddwyn yng nghwmni'r menywod sy'n gweithio gyda nhw. Maen nhw'n eu trin â pharch teilwng ac yn eu gweld fel cyd-weithwyr cydradd. Mae'r llinell ynglŷn â'r hyn sy'n briodol, neu'n amhriodol, yn glir iawn yn eu meddyliau. Dydyn nhw ddim yn defnyddio eu pŵer i gymryd mantais. Ond mae'n deg dweud bod rhai yn ddall i'r broblem ac eraill yn teimlo bod eu grym a'u statws yn golygu bod ganddyn nhw'r hawl i wneud beth bynnag a fynnant. Dyna pam ei bod yn hollbwysig ein bod ni'n rhannu'n profiadau o gam-drin rhywiol boed yn fach neu'n fawr. I herio, a dweud nad yw'n dderbyniol i wneud i ddynes deimlo'n anghyfforddus yn eu cwmni, nad yw sylwadau rhywiol neu gyffyrddiadau amhriodol yn iawn yn y gweithle. Achos os parhawn i ddiystyru ymddygiad amhriodol ac agweddau misogynistaidd gan ein gwleidyddion, yna 'dan ni'n atgyfnerthu'r diwylliant sy'n rhoi rhwydd hynt i rai pobl ymddwyn fel y mynnant, heb hidio am deimladau eraill.

Am rai wythnosau roedd lleisiau menywod i'w clywed yn glir, a'r gobaith oedd y byddai'r siarad am brofiadau yn arwain at newid pellgyrhaeddol fel y gwelwyd wedi'r sgandal dreuliau. Dyw'r broblem ddim wedi diflannu dros nos. Ond dyw hynny ddim i ddweud nad yw'r awydd yno, ymysg y pleidiau, i geisio newid pethau er gwell. Mae grŵp trawsbleidiol o aelodau seneddol wedi gwneud nifer o argymhellion ynglŷn â'r camau ymlaen. Maen nhw'n galw am system gwynion annibynnol i staff. Ac os canfyddir bod aelod wedi bwlio neu gam-drin, fe fydd galw arnyn nhw i ymddiheuro ac i fynychu hyfforddiant ar sut i drin eu staff. Mewn achosion mwy difrifol fe allen nhw gael eu gwahardd neu wynebu pleidlais gyhoeddus i'w diarddel.

Ond a fydd hynny'n ddigon? Mae rhai yn amheus. Un o'r prif bryderon yw mai aelodau seneddol fydd yn penderfynu ar ffawd eu cyd-weithwyr, ac y byddan nhw yn y pen draw yn gwarchod ei gilydd.

Mae ymgyrchwyr yn galw am gorff allanol i ddelio gydag adroddiadau o gam-drin rhywiol, gyda'r grym i ymchwilio a dod i gasgliad ar bob un achos. Does dim dwywaith y bydd aelodau seneddol yn dadlau yn ei erbyn. Ond os nad oes gan bobl ffydd yn y system, fyddan nhw ddim yn ei defnyddio, ac ni ddaw newid. Wedi dweud hynny mae sefydlu system gwynion yn hawdd o'i gymharu â'r her o geisio newid y diwylliant.

Mae'n ddiwylliant lle caiff aelodau seneddol benywaidd eu boddi gan frefu aflafar dynion wrth iddyn nhw geisio siarad yn y siambr; lle mae menywod yn dal i gael eu beirniadu nid am yr hyn maen nhw'n ei ddweud neu'n ei wneud ond am y ffordd y maen nhw'n edrych. Diwylliant lle mae menywod yn wynebu trais cyson ac erchyll arlein.

Y cam pwysicaf yn fy marn i yw i ethol mwy o fenywod. Dros y blynyddoedd mae'r diwylliant gwleidyddol wedi newid wrth i fwy o fenywod gael eu hethol. Mae dynion yn llai tebygol o ymddwyn yn amhriodol os oes grŵp o fenywod o'r un statws â nhw yn yr un ystafell, ac mae tôn a naws trafodaethau yn newid pan mae mwy o fenywod yn cyfrannu. Daw'r newid yn araf, ac os yw gwleidyddion o ddifri am sicrhau mwy o gynrychiolaeth gyfartal mae angen i'r pleidiau sicrhau eu bod nhw'n annog mwy o fenywod i sefyll fel ymgeiswyr ac i ddewis mwy o fenywod ar gyfer seddi saff. Ond hefyd i wneud yn siŵr bod y diwylliant yn un sy'n croesawu menywod. Mae gwleidyddion benywaidd yn wynebu llawer mwy o drais ar-lein na dynion, ac mae'n waeth fyth os ydych chi'n fenyw ddu, Asiaidd neu o leiafrif ethnig. Os yw gwleidyddiaeth yn mynd i gynrychioli pobl o bob rhyw, hil a chefndir mae'n rhaid gwneud mwy i daclo hyn hefyd.

Dwi'n caru gweithio yn y byd gwleidyddol. Fyddwn i ddim yn dymuno gwneud dim arall. Ond fe ddylai fod yn fyd lle caiff menywod eu parchu a lle gallwn ffynnu yn ein gwaith, yn hytrach na phoeni am ymddygiad eraill. Mae'n cymryd amser i newid diwylliant, llawer hirach na thymor llywodraeth, ond mae gan wleidyddion gyfrifoldeb i sicrhau bod y rhod yn troi.

Ond os nad ydyn nhw'n gallu delio â'r problemau o fewn eu tŷ eu hunain, sut gellir ymddiried yn ein haelodau etholedig i amddiffyn a gwarchod menywod mewn meysydd eraill, sydd hefyd yn dioddef anghyfiawnder a thrais oherwydd eu rhyw? Nid problem ar gyfer y byd ffilmiau a gwleidyddiaeth yn unig yw hyn. Mae aflonyddu rhywiol yn digwydd ymhob gweithle. Fel newyddiadurwyr a gwleidyddion, 'dan ni'n lwcus bod gennym ni lais cryf a phlatfform i weiddi oddi arno. Dyw pob menyw ddim mor lwcus, felly mae gennym ni gyfrifoldeb i sefyll dros eu hawliau nhw hefyd. Fe frwydrodd y swffragetiaid yn galed i sicrhau bod ein lleisiau ni'n cael eu clywed yn y byd gwleidyddol. Nawr mae'n rhaid i ni ddal ati i sicrhau bod menywod o bob cefndir yn cael eu trin yn gyfartal ac â pharch yn y gweithle.

Hyd yn hyn nid ydyw MERCHED CYMRU wedi derbyn
y sylw a deilynga eu sefyllfa... Wrthi hi y mae llais
hanesyddiaeth yn ddistaw; ac er ei bod yn addysgu y byd,
gadewir hi ei hunan yn ddiaddysg.

Y Gymraes (gol. Ieuan Gwynedd –
cyhoeddwyd dan nawdd Arglwyddes Llanofer, 1850)

3

'Y Fenyw Gymreig'
Llythyr agored i fenywod Cymru

FFLUR ARWEL

Ysgrifennwyd y neges hon i'r fenyw Gymreig. Ysgrifennwyd y neges hon i ti.

Efallai eu bod wedi ceisio dy ddarbwyllo nad wyt ti'n ddigon da. Efallai eu bod wedi ceisio dy dawelu. Efallai eu bod wedi gwneud i ti feddwl nad yw dy lais di'n cyfri gan awgrymu nad wyt ti'n bwysig. Efallai eu bod wedi ceisio dy ddiffinio yn ôl eu telerau nhw.

Maen nhw'n anghywir. Cofia hyn.

Mae dy hanes di yn bwysig. Mae dy stori di yn bwysig. Dysga hi, cofia hi, perchnoga hi a'i hadrodd gyda balchder.

Dy hanes di yw hanes cenedl. Torraist a naddaist hanes o'r creigiau gan gario ar dy gefn faich gwlad a baich bywyd. Pasiaist yr iaith o dafod i dafod ac o geg i geg gan greu a meithrin diwylliant. Tyfaist yn wydn dan gysgod ymerodraeth. Fe'th gwrthodwyd sawl tro ond yma yr wyt ti o hyd. Mae'th hanes yn fyw i'w adrodd. Mae cryfder y wlad yn eiddo i ti.

Nid dim ond dynion yw arwyr ein stori ni ac nid unlliw yw'r hanes. Cofia'r rhai fu yma o'th flaen. Cofia Gwenllïan, Katë a Betty. Cofia Frances, Eileen a Gwerful. Cofia Cranogwen, Jan a Morfydd. Cofia nad wyt ti'n sefyll ar dy ben dy hun – mae byddin dy hynafiaid y tu ôl i ti a'u gwreiddiau yn rhoi nerth i ti. Cofia fod dy lais yn uchelseinydd a'th eiriau'n arf i'w trin. Dwyt ti ddim yn anweledig – mae'r byd hwn yn eiddo i ti.

Mae dy gorff yn eiddo i ti hefyd. Ti sydd biau'r llyfnder o amgylch dy gorff a'r patrymau rhudd sy'n gorwedd yn donnau ar draws dy groen. Ti sydd biau cyffyrddiad dy wefus a grym y geiriau sy'n llithro rhyngddynt. Ti a dim ond ti sydd berchen ar y plygiadau o groen sy'n disgyn o'th stumog a phob blewyn sy'n tyfu ar hyd dy gorff, yn arfwisg amdanat.

Mae dy ryw, dy rywedd a'th rywioldeb yn eiddo i ti a dim ond i ti. Rwyt ti'n rhydd yn dy noethni ac yn feistr ar dy rywioldeb. Cei rannu dy gorff o'th wirfodd dy hun yn unig gan fwynhau derbyn a rhoi pleser.

Fel blaidd, ysgyrnyga ar unrhyw un sy'n meiddio dy dramgwyddo a'th gyffwrdd heb dy ganiatâd. Rhwyga unrhyw ddilorni a heria unrhyw gyfraith a feiddia gipio ohonot dy annibyniaeth, dy hawl dros dy gorff a'th hawl i ddewis. Bloeddia ar unrhyw un a wêl dy gorff a'th fodolaeth fel pwnc neu destun trafod.

Os ydyn nhw'n meiddio awgrymu mai 'gofyn amdani' oeddet ti neu mai ti oedd ar fai rywsut, yna ailadrodda'r geiriau hyn gan eu cadw'n dynn yn dy galon – 'Does dim bai arna i.'

Mae dy gorff yn eiddo i ti a dim ond i ti.

Dysga ddweud 'Na'.

Mewn byd sy'n gwrthod cydnabod bod gen ti ddewis, mewn byd sy'n gwrthod caniatáu i ti gerdded y strydoedd heb drais, ac mewn byd sy'n gwrthod caniatáu dy ryddid, 'Na' yw dy arf o ddewis. Gad i'r gair adleisio ym mêr dy esgyrn a rhuo o grombil dy berfeddion.

Hawlia ryddid dy chwiorydd a hawlia dy ryddid di.

Ni ddaw Cymru rydd heb ein rhyddid ni.

Gorymdeithia ar hyd y strydoedd, o bentrefi'r gogledd i ddinasoedd y de. Gad i'th brotest gael ei chario gan y gwynt drwy'r mynyddoedd i bob tref a chwm. Cer â'th achos o goridorau cyfyng y cyngor sir i risiau llechi ein Senedd ni. Gad i'th gri dreiddio i bob haen o'n cymdeithas. Bloeddia nes eu bod nhw'n clywed dy lais ar draws y cyfandiroedd. Gad i dafod goch ein draig dy feddiannu a defnyddia hi fel llafn miniog i ymladd yn ôl. Gorfoda nhw i wrando. Bydd yn groch. Paid ag ildio.

Mynna dâl am dy lafur. Mynna dâl am dy waith. Mynna barch. Mynna lais. Mynna dy bleidlais. Mynna addysg. Mynna iechyd. Mynna les cymdeithasol. Mynna hawl i fod yn saff ar y strydoedd a mynna dy hawl i fyw heb drais. Mynna dy ofod a dy le yn y byd hwn. Mynna hawl dros dy gorff dy hun a mynna dy hawl i ddewis.

Mynna berchnogi dy ddiwylliant, dy iaith, a'th wleidyddiaeth. Mynna dy hunaniaeth. Mynna dy annibyniaeth.

Mentra i bellafion byd a meddwa ar fywyd. Dawnsia ddawns rhyddid yfory cyn i fory wawrio. Paid â gadael i neb dy ddiffinio di na'th werth yng ngolwg y byd. Ni chei dy gosbi am gerdded dy lwybr dy hun. Mae dy benderfyniadau'n eiddo i ti ac i ti yn unig.

Cara dy hun.

Cara ferched.

Cara ddynion.

Cara unrhyw un rwyt ti'n ei ddymuno.

Rwyt ti'n arweinydd.

Rwyt ti'n athro.

Rwyt ti'n fam.

Rwyt ti'n sengl.

Rwyt ti'n wleidydd.

Rwyt ti'n wyddonydd.

Rwyt ti'n abl.

Rwyt ti'n awdur.

Rwyt ti'n fathemategydd.

Rwyt ti'n berchennog busnes.

Rwyt ti'n gryf.

Rwyt ti'n hardd.

Rwyt ti'n ddu. Rwyt ti'n wyn. Nid unffurf dy wisg ac fe genir dy gân yn yr heniaith, dy famiaith, pob iaith.

Rwyt ti'n byw yn strydoedd bas Butetown, yng

nghreigiau Pen Llŷn a chymoedd y Rhondda. Rwyt ti'n byw yn heulwen y Rhyl, bro'r Preselau a ger môr a heli Aberystwyth. Mae dy wreiddiau di yma yng Nghymru ac ym mhedwar ban byd.

Fe geision nhw dy chwalu di heb yn wybod dy fod wedi dy wneuthur o greigiau gwydn y mynyddoedd, haearn cadarn y pyllau glo a dyfnder llaith y cwm. Magwyd ti yng ngwlad y caledi ac fe ddaw dy rym dithau o styfnigrwydd eofn y tir.

Dilyna dy grefydd dy hun a dal dy greodau'n dynn yn dy ddwrn gan fod 'na rym diamser yn llifo drwy dy fodolaeth di. Rwyt yn bodoli yn dy ffaeleddau a'th wychder oll ar dy delerau di'n unig – a hynny yn ddiamod.

Rwyt ti'n ddinesydd cenedl ac yn ddinesydd byd.

Rwyt ddynes.

Rwyt Gymro.

Rwyt anhygoel.

Cerddwn gyda'n gilydd law yn llaw gyda'n chwiorydd. Dysgwn wrth ein gilydd gan fodoli yn ein hysblander, ein hunigrwydd a'n hamrywiaeth oll. Dathlwn ein gwychder gan ddeall, cefnogi a gwrando ar ein gilydd a datgan i'r oesoedd mai ni yw ein meistri ein hunain ac yma rydym ninnau i fod.

Daliwn ein tir rhag y sawl a fentra ein bygwth ac fel byddin amddiffynnwn a chodwn leisiau ein gilydd i'r nen nes bod y ddaear hen yn siglo i'w seiliau.

Cipiwn ein hannibyniaeth law yn llaw ag annibyniaeth

Cymru, ein gwlad. Mynnwn ein lle gan floeddio'n groch gan fod grym yn y geiriau a nerth yn y weithred.

Dal dy dir, fenyw Gymreig, dy Gymru rydd di sy'n dyfod cyn hir.

I would venture to guess that Anon, who wrote so many poems without signing them, was often a woman.

Virginia Woolf

4
Dangosaf iti ryddid

RHIANNON MARKS

'… dangosaf iti'r byd
sy'n erwau drud rhwng dy draed.'

Dyna eiriau'r Prifardd Dafydd Rowlands yn y gerdd enwog 'Dangosaf iti lendid', lle'r addawa ddangos rhyfeddodau'r byd i'w fab. Dyna'n syml, fy merch, yw fy ngobaith innau fel mam: dy arwain wrth iti ddarganfod rhagor am y byd hwn y daethost i fyw ynddo. Gallwn fynd â thi, fel y bardd, i brofi hynodion Cwm Tawe lle y bu cenedlaethau o'n teulu yn byw a dangos iti'r 'tŷ lle ganed Gwenallt', a hyd yn oed y tŷ lle y bu Dafydd Rowlands ei hun yn byw. Ond er cymaint y parchaf waith y ddau lenor hyn, beth am imi dy gyflwyno i lenyddiaeth Gymraeg trwy ddechrau gyda menywod ein llên?

Yn hyder dy wyth mis, rwyt ti eisoes yn troi tudalennau llyfrau'n awchus – am ymlaen ac am yn ôl – ac yn deall eu gallu i ddatgelu stori. Y cyffro mawr wedyn wrth chwilio am anifeiliaid y jyngl sy'n chwarae pi-po dan y llabedi a gigls lond y lle wrth iti geisio cnoi ambell un. Dydw i ddim yn addo y bydd y llyfrau a ddarlleni di pan fyddi'n hŷn hanner mor lliwgar â'r rhai sydd gen ti nawr. Ac efallai na fydd sbort chwerthin-allan-yn-uchel tebyg i'r hyn a gei wrth wrando ar Dad yn darllen *Ble mae Sali Mali?*. Gobeithio, er hynny, y gwnei di barhau i fwynhau darllen wrth iti ddysgu rhagor am y byd, gan adael i'th ddychymyg redeg ar ras wrth brofi cyfoeth y deunydd llenyddol amrywiol.

Pe baet ti wedi cael dy eni ganrif yn ôl yn 1918, pan fyddai dy hen Nain yn ferch fach, byddai'r dewis o lyfrau wedi bod yn dra gwahanol. Pethau prin oedd llyfrau wedi eu cyhoeddi gan awduron o fenywod yn y cyfnod, a hynny yn bennaf am nad oedd llawer o'r cyfleoedd addysgol a phroffesiynol a oedd ar gael i ddynion yn agored i fenywod. Roedd disgwyliadau'r cyfnod ynghylch rôl y ferch yn ei gosod yn anad dim yn y sffêr ddomestig. Wedi dweud hynny, roedd rhai menywod yn llwyddo i gyhoeddi rhyddiaith yn negawdau cyntaf yr ugeinfed ganrif, er enghraifft Moelona, awdures y clasur i blant *Teulu Bach Nantoer* (1913) – fe gawn ni ei ddarllen gyda'n gilydd rywbryd! Dyna iti wedyn Elena Puw Morgan a enillodd y Fedal Ryddiaith yn 1938 am ei nofel *Y Graith* ac, wrth gwrs, ni allwn anghofio am y doreithiog 'Frenhines ein Llên', Kate Roberts, a gyhoeddodd ei chyfrol gyntaf o straeon byrion *O Gors y Bryniau* yn 1925.

Wrth i'r ganrif fynd rhagddi, yn raddol newidiodd sefyllfa'r ferch yn y gymdeithas, yn wleidyddol ac yn economaidd. Felly hefyd y gwelwn ragor o fenywod yn canfod eu lleisiau llenyddol, yn enwedig ym maes rhyddiaith. Fel mae'n digwydd, enillwyd y Fedal Ryddiaith bedair gwaith gan fenywod rhwng 1960 ac 1970 (gyda Rhiannon Davies Jones ac Eigra Lewis Roberts ill dwy yn ennill ddwywaith). Dyna ddegawd arwyddocaol hefyd o ran cerrig milltir a effeithiai ar y corff benywaidd: argaeledd y bilsen i fenywod priod drwy'r GIG yn 1961, a'r mesur yn cyfreithloni erthylu mewn achosion penodol yn 1967. Gwelwn awduresau mentrus megis Jane Edwards yn torri tir newydd yn ei rhyddiaith wrth drafod y pynciau hyn ynghyd â'r rhyddid newydd a brofai menywod ifanc y cyfnod.

Mae stori'r awduresau Cymraeg hefyd yn stori o brotest ac o fentro codi llais yn erbyn anghyfiawnderau ar sawl tu. Bu i sawl un chwarae rôl flaenllaw mewn protestiadau yn y 1980au a chawn ymateb creadigol i'r helyntion gwleidyddol yn eu gweithiau llenyddol. Ryw ddydd, byddai'n werth iti ddarllen y dyddiadur carchar ffuglennol *Yma o Hyd* (1985) gan Angharad Tomos sy'n cynnig cip ar rôl merched yn ymgyrchoedd Cymdeithas yr Iaith am hawliau i siaradwyr Cymraeg. A dyna iti wedyn y dyddiadur ffuglennol pwysig *Pan Ddaw'r Gaeaf* (1985) gan Meg Elis sy'n croniclo cyfnod yng ngwersyll heddwch Comin Greenham yn protestio gyda menywod eraill yn erbyn arfau niwclear. Difyr, yntê, fod dwy wedi troi at gyfrwng personol y dyddiadur i drafod gwleidyddiaeth; arwydd efallai mai gwir oedd slogan ffeminyddion y cyfnod – 'the personal is political'.

O ran barddoniaeth, wel, os troi di at flodeugerddi

Cymraeg a gyhoeddwyd yn yr ugeinfed ganrif, e.e. *The Oxford Book of Welsh Verse* (1962) a *Blodeugerdd Barddas o Farddoniaeth Gymraeg yr Ugeinfed Ganrif* (1987), mae'n ymddangos ar yr olwg gyntaf mai prin yw'r cerddi gan fenywod. Bydd yn ofalus gyda chasgliadau o'r fath! Detholiad yn unig ydyn nhw, a hynny'n amlach na pheidio yn datgelu rhagfarnau a chredoau'r golygyddion yn anad dim. Mae absenoldeb gweithiau gan fenywod o gasgliadau fel hyn yn arwydd eu bod yn cael eu hystyried gan rai yn ymylol i'r prif ganon llenyddol – hynny yw, na haeddant gael eu cyfrif ymhlith y 'beirdd mawr'. Serch hynny, er mwyn gwneud iawn am y sefyllfa aeth Menna Elfyn ati i roi llwyfan haeddiannol i waith gan fenywod yn y blodeugerddi *Hel Dail Gwyrdd* (1985) ac *O'r Iawn Ryw* (1991).

Cerdd sy'n brotest yn erbyn y modd y bu menywod yn anweladwy yn y canon llenyddol yw 'Anhysbys – An sy'n hysbys' gan Menna Elfyn. Cyfeiria at ddarlithwyr prifysgol yn sôn am gerdd 'anhysbys' gan ofyn 'pwy oedd e?' gan gymryd yn ganiataol mai dyn a'i cyfansoddodd. Heria'r bardd y gred hon trwy awgrymu mai menyw yw'r sawl sy'n 'anhysbys', ac mai un a gyfansoddai yn y dirgel oedd hi, heb dynnu sylw ati hi ei hun:

[...] tynnu geiriau
o dan lawes profiad
a'u hysgar
cyn cuddio hances
ei hunaniaeth.

50

Daw'r gerdd i uchafbwynt drwy ofyn i'r 'hyddysg rai, a'r di-radd' ailystyried eu safbwynt gan fod 'An yn hysbys'! Mae'r gerdd yn adleisio datganiad enwog yr awdures ffeminyddol, Virginia Woolf 'Anon was a woman', a gellir ei darllen fel ymgais i ganfod llais mewn traddodiad barddol a fu cyn hyn yn wrywaidd iawn ei naws.

Ers canol y 1980au gwnaed gwaith pwysig gan ysgolheigion i ddarganfod rhagor o wybodaeth am leisiau 'coll' llenorion o fenywod. Aethpwyd ati i chwilio llawysgrifau a golygu testunau er mwyn sicrhau lle mwy canolog i fenywod megis Gwerful Mechain, Alis ferch Gruffudd ac eraill yn hanes ein llên. Carreg filltir bwysig arall yn y cyfnod hwn o safbwynt hyrwyddo llais merched yw sefydlu Honno, Gwasg Menywod Cymru, yn 1986 – gwasg sydd hyd heddiw yn gweithio'n galed i gyhoeddi a marchnata llenyddiaeth gan fenywod o Gymru.

Mae edrych yn ôl, ailddehongli ac ailddarganfod llenyddiaeth y gorffennol yn rhan bwysig o ddarllen o safbwynt ffeminyddol. Ac yn wir, o ran llenyddiaeth greadigol, mae lle i ddadlau mai dyna a gawn gan Angharad Tomos yn *Wrth fy Nagrau i* (2013) – nofel ddyfeisgar sy'n ein hannog i edrych yn ôl ac ailystyried y modd y portreadwyd rhai o ferched eiconig ein llên. Mae darllen yn ffeminyddol hefyd yn cynnwys gofyn cwestiynau fel 'Sut mae merched yn cael eu portreadu yn y testun?' a 'Beth y mae testun llenyddol yn ei ddatgelu am y berthynas rym rhwng dynion a menywod?'. Wrth i ti ddysgu darllen, bydd yn ofalus rhag derbyn testunau yn ddigwestiwn. Yn wir, mae angen i ni i gyd fod yn effro i'r modd y mae testunau yn darlunio'r rhywiau a dylem fynd ati i dynnu sylw at ystrydebau camarweiniol a all fod ynddyn nhw – boed yn gywydd o'r bymthegfed ganrif neu'n un o storïau Peppa Pinc!

Beth am y sefyllfa sydd ohoni erbyn hyn yn 2018? Heb os nac oni bai, mae rôl y ferch yn y gymdeithas wedi newid yn aruthrol er 1918, a da yw gweld lliaws o ferched o bob oed yn cyfansoddi ac yn cyhoeddi yn holl feysydd amrywiol ein llenyddiaeth. Mae 'na ferched yn stompio a thalyrna, yn sgriptio a nofela, yn ysgrifio a storïa a chynganeddu ac ysgolheica. Bob blwyddyn, gwelir gweisg Cymru yn cyhoeddi arlwy cyfoethog o weithiau ffeithiol a ffuglennol gan fenywod, ac mae menywod yn enillwyr cyson mewn cystadlaethau llenyddol yn yr Eisteddfod Genedlaethol ynghyd â chystadleuaeth Llyfr y Flwyddyn. Mae'n siŵr fod a wnelo'r datblygiadau hyn hefyd â'r gefnogaeth sydd ar gael bellach i awduron. Er enghraifft, ceir cefnogaeth ariannol hael i awduron fentro llenydda gyda chynllun Ysgoloriaethau a Mentora Llenyddiaeth Cymru ac mae Canolfan Ysgrifennu Tŷ Newydd, Llanystumdwy yn cynnig cyrsiau gwych i awduron hen ac ifanc hogi eu sgiliau ysgrifennu. Yn ogystal, mae cynllun Bardd Plant Cymru yn rhoi cyfleoedd arbennig i blant ar hyd a lled y wlad gael blas ar farddoni yn ifanc – a da gweld mai merch sydd yn y rôl hon eto ar hyn o bryd, sef Casia Wiliam. Rwy'n siŵr y cei di hwyl yn mynychu gweithdy pan fyddi di'n ddigon hen!

Mae 'na fwrlwm o syniadau a myrdd o siwrneiau dychmygus yn disgwyl amdanat ti. Cei brofi rhyddiaith gyfoethog Caryl Lewis, Angharad Price a Manon Steffan Ros, dychymyg ffraeth Fflur Dafydd a Catrin Dafydd, telynegion hyfryd Mari George heb sôn am waith y Prifeirdd amryddawn: Christine James, Mererid Hopwood, Manon Rhys a Gwyneth Lewis, a chymaint yn rhagor! Oes, mae gan ferched o bob oed y rhyddid i fynegi eu gweledigaeth, a'r rhyddid i lenydda. Er hynny, yn hytrach na siarad yn nhermau 'mae'r frwydr drosodd' mae'n bwysig ein bod yn troi'n ôl a chofio hanes y menywod a frwydrodd i godi eu llais ac a adawodd eu marc. Yn ddiweddar, bu'n wych gweld Cywion Cranogwen yn cael eu hysbrydoli gan hanes anhygoel yr amryddawn Sarah Jane Rees neu Cranogwen (1839–1916), cymaint nes iddynt greu sioe gelfyddydol sy'n 'ddathliad o alluoedd merched gwahanol, dathliad o'u profiadau gwahanol ac o fod yn fenyw' chwedl hwy. Melys moes mwy!

Felly, fy merch, beth wnei di o hyn oll? Mae cymaint mwy i lenyddiaeth gan fenywod nag y gallaf ei wasgu i'r gofod bach hwn ond gobeithio imi roi blas iti ar yr amrywiaeth sydd yn aros amdanat ti pan fyddi'n ddigon hen i'w ddarganfod drosot dy hun. I'th genhedlaeth di, efallai na fydd 'rhywedd', sef y modd y mae rhywun yn ei ddiffinio ei hun yn wryw neu'n fenyw, yn ddim ond un agwedd o blith nifer ar hunaniaeth person. Wedi'r cyfan, cydberthynas gwahanol elfennau fel cenedligrwydd, ethnigrwydd, iaith, oedran, rhywioldeb a rhywedd sy'n cyfrannu at ein gwneud yr hyn yr ydym yn hytrach na'r labeli 'bachgen' a 'merch' yn unig.

Paid â meddwl bod dy dynged wedi ei phennu am dy fod yn ferch a bod rhai llwybrau ynghau iti. Diolch byth, mae pethau wedi newid yn sylweddol yn ystod y ganrif a aeth heibio a phob llwybr yn agored. Felly, fy merch, dangosaf iti ryddid – rhyddid i fynegi dy safbwynt, i ddathlu dy hunaniaeth, ac i dorri dy gwys dy hun.

Y mae llawer yn methu â deall pam rym ni yn fodlon aberthu cysuron cartref a cholli celfi dros ymdrech fel hyn. Brwydro dros egwyddor bwysig ym ni sef yr hawl i ddefnyddio ein hiaith ein hunain yn ein gwlad ein hunain.

Eileen Beasley

5
Gwreiddio

MELERI DAVIES

Mae bod ar benllanw cyfnod mamolaeth eich plentyn olaf yn gyfle da i bendroni a gwerthfawrogi bywyd. Ymhen y mis, bydd Eiri Gwyn yn mynd i'r feithrinfa a byddaf innau'n mynd yn ôl yn betrus gyffrous i weithio fel prif swyddog ym Mhartneriaeth Ogwen, menter gymdeithasol fechan ond mentrus yn Nyffryn Ogwen. Camu'n ôl i fyd gwaith ond, yn bwysicach, camu'n ôl i fwrlwm datblygu prosiectau sydd wedi eu gwreiddio'n ddwfn yn y gymuned lle dwi'n byw. Ar un llaw, mae rhywun yn edrych ymlaen at y rhyddid ymenyddol sy'n dod o fyw y tu allan i'r swigen fagu ond ar y llaw arall, dwi'n meddwl y bydda i hefyd yn galaru am addfwynder y cyfnod cynnar yma – cyfnod o gariad gofalgar, o agosatrwydd cyfrin mam a'i babi.

Wedi dweud hynny, nid bod yn fam sy'n fy niffinio i. Dwi'n fam falch ond wrth setlo i gyfnod mamolaeth efo Eiri – fy nhrydydd plentyn – 'nes i stryglio i ollwng gafael yn fy ngwaith ac ymgolli yn fy mabi. Dydy cyfaddef hynny ddim yn hawdd ond dwi'n ffeindio bod y gwrthgyferbyniad yna rhwng bod yn fam ddaear ar un llaw ac yn *workaholic* ar y llall yn rhan annatod o'm cymeriad. Alla i ddim gwahanu'r ddau beth – Mel, y fam feddal, a Mel, y gweithiwr cymunedol angerddol. Ond nid dau begwn sydd yma chwaith, mae 'ngwaith i wedi ei angori yn y gymuned lle dwi'n magu, a holl *raison d'être* y gwaith hwnnw ydy creu dyfodol gwell i'r ardal hyfryd lle dwi a'm gŵr a thri o blant yn byw. Mae'r fam a'r Mel broffesiynol yn cyd-fyw.

'Nes i ddechrau gweithio i Bartneriaeth Ogwen tua phedair blynedd yn ôl, yn dilyn penderfyniad i gymryd pecyn ymadael gwirfoddol o gorff cyhoeddus cenedlaethol. Digwyddodd hynny o fewn blwyddyn i golli Mam i glefyd Motor Niwron. Mae pobol yn gofyn i mi a ydy colli rhiant yn eich newid chi fel person? A'r ateb syml i mi ydy 'Yndi'. Pan rwyt ti'n colli mam i gyflwr mor greulon, ti'n gorfod ailasesu, ailddarganfod ac ail-greu, boed hynny ar lefel bersonol neu broffesiynol. A dyna i raddau 'nes i. Penderfynais adael sefydliad mawr a'r crwydro cyson i Gaerdydd a thu hwnt bob yn ail wythnos a ffeindio'n hun yn derbyn swydd ran amser yn datblygu ac yn arwain gwaith Partneriaeth Ogwen mewn swyddfa fechan biws ar Stryd Fawr Bethesda. Ers dechrau gweithio yno, mae cwmpas fy myd wedi lleihau i gylch o tua dwy filltir o'm cartref – rhywbeth sydd wedi cyfoethogi fy mywyd lawn cymaint â'm holl deithiau anturus i bellafion byd. Pam hynny felly? Beth sy'n gwneud gwaith datblygu cymunedol a bywyd Bethesda mor arbennig i mi? A sut mae'r gwaith cymunedol yma wedi diffinio fy llais creadigol, personol a phroffesiynol?

Bydd rhai'n synnu wrth fy nghlywed yn dweud nad ydy codi llais yn dod yn naturiol i mi. Bydd fy nheulu'n gallu cadarnhau mai fi oedd y cyw melyn olaf a'r tawelaf o nythaid yr Hendre ac er mod i'n llwyddo yn fy ngyrfa, dydy hyder ac uchelgais ddim yn eiriau faswn i'n eu defnyddio i ddisgrifio fi'n hun. Mae diffyg hyder yn rhwystr i nifer o ferched ym myd gwaith ac, i raddau, cyn bod yn Brif Swyddog Partneriaeth Ogwen, roeddwn i wedi cyrraedd rhyw *blateau* cyffyrddus anweledig yn fy ngyrfa. Trwy gamu i rôl fel hon yn y trydydd sector, newidiodd fy mydolwg yn nhermau gwaith yn llwyr. Mae datblygu cymunedol yn alwedigaeth. Dim jyst gwaith. Mae'n sbarduno newid o'r gwaelod i fyny ac o'i wneud yn iawn gellir gwneud gwahaniaeth aruthrol i fywydau pobl. Dwi'n argyhoeddedig fod dod â phobl at ei gilydd i ddatblygu a chynnal mentrau cymdeithasol yn gwneud mwy o wahaniaeth gwirioneddol ar lawr gwlad nag unrhyw drafodaeth wleidyddol ar lawr y Senedd. Mae gweithio efo pobl dda i wneud gwahaniaeth a gweld y gwahaniaeth hwnnw'n egino yn gallu codi hyder cymuned, ond hefyd dy hyder personol di. Yn sicr mae hynny'n wir amdana i.

Mae natur gwaith Partneriaeth Ogwen yn unigryw. Mae'r cwmni wedi ei sefydlu fel cerbyd pwrpasol i ddatblygu prosiectau sy'n dod â budd amgylcheddol, economaidd a chymdeithasol i'r ardal. Ers ei sefydlu yn 2014 rydym wedi agor swyddfa amlbwrpas a siop lyfrau a chrefftau ar y Stryd Fawr. Caiff hyn i gyd ei arwain gan dîm bach o staff a'r mwyafrif ohonom yn ferched ac yn famau ifanc. Er bod magu a gweithio'n gallu bod yn heriol, dydy bod yn fam ddim wedi bod yn rhwystr i'r un ohonom, ac i raddau, dwi'n tybio mai'r ddeinameg rhwng magu a gweithio sy'n ein gyrru. Mae Donna, ein clerc, yn enghraifft berffaith o fam ifanc sy'n ymroi i'w gwaith. Hi sy'n arwain gwaith gweinyddu'r Bartneriaeth ac mae'r ddwy ohonom yn gweithio'n andros o dda efo'n gilydd. Tra 'mod i'n arwain a datblygu mae Donna yn angor i'r fenter a dwi'n meddwl bod cydnabod a meithrin cryfderau ein gilydd yn rhan o redeg sefydliad iach lle gall merched gydweithio i atgyfnerthu a datblygu'n yrfaol.

Ers ein sefydlu, mi rydan ni hefyd wedi cyflogi nifer o ferched ifanc lleol a bellach mae nifer o'r rhain wedi camu i swyddi da yn y sector ynni cymunedol a thu hwnt. Mae'r siop lyfrau a chrefftau – Siop Ogwen – hefyd yn rhoi llwyfan lleol i grefftwyr yr ardal werthu eu gwaith. Merched yw'r rhan fwyaf o'r crefftwyr, sy'n nodweddiadol o greadigrwydd diwylliannol merched Dyffryn Ogwen a'r sector grefftau yn gyffredinol. Yn nodedig hefyd, mae mwyafrif y gwirfoddolwyr sy'n gweithio yn y siop yn ferched. Oes yna duedd yma? O weithio yn y gymuned gallaf yn sicr ddweud fod merched Dyffryn Ogwen, fel nifer o gymunedau eraill dwi'n siŵr, yn asgwrn cefn gweithredu cymunedol. Os wyt ti isio rhywbeth wedi ei wneud, mae merched y fro yn fwy na pharod i helpu yn ymarferol. Mae merched, ar y cyfan, yn fwy parod i ddangos empathi pan fo llwyth gwaith yn drwm trwy wirfoddoli'n ymarferol. Ydy'r uchod yn esbonio pam fod pob Bwrdd Cyfarwyddwyr dwi'n aelod ohono yn cynnwys mwy o ddynion a phob rota wirfoddoli'n cynnwys mwy o ferched, tybed?

Cyn i fi bechu neb, mae yna ddynion anhygoel, rhai sydd ymhell dros eu 70au, yn gwirfoddoli'n gyson efo Ynni Ogwen, Siop Ogwen a Phartneriaeth Ogwen ac mae fy nyled yn fawr iawn iddyn nhw. Er hyn, wrth ymwneud â nifer o bwyllgorau dros y blynyddoedd dwi'n gweld gwahaniaeth yn y ffordd mae merched a *rhai* dynion yn cyfrannu. O ran y dynion, daw craffu a mynegi barn yn huawdl mewn cyfarfodydd yn naturiol iddyn nhw – weithiau i'r pwynt lle byddan nhw'n ddall i'r angen i wrando a chyfrannu mewn modd sy'n annog cyfranogaeth eraill. Ar ddechrau fy ngyrfa, dwi'n cofio gwingo mewn cyfarfodydd a chwffio atal dweud eithafol wrth drio ateb cwestiynau pigog gan aelod gwrywaidd o'r pwyllgor am gynnwys taenlenni Excel a manylion dibwys eraill. Hynny a deffro'r nos yn poeni'n afresymol am ryw e-bost beirniadol neu'i gilydd gan gynghorydd. Dwi wedi gorfod dysgu caledu'n hun i bethau dwi'n eu hystyried yn feirniadaeth, a disgyblu fi'n hun i beidio meddwl bod popeth yn gorfod disgyn ar fy ysgwyddau i.

Dwi ddim yn meddwl bod cymuned Dyffryn Ogwen yn wahanol i unrhyw gymuned arall yn hyn o beth ond dwi'n gobeithio'n fawr fod modd i ni wneud gwahaniaeth wrth ddatblygu arweinwyr cymunedol benywaidd balch a hyderus. Yn ddiweddar daeth Cynan Jones yn aelod gwrywaidd cyntaf i dîm staff y Bartneriaeth ac erbyn y parti Dolig, roedd o wedi sgwennu cerdd fawl i fwrlwm benywaidd ein sefydliad:

Rŵan bobol Dyffryn Ogwan
Pwy o bawb sy'n gryf neu egwan?
Os mai dynion fu'r gorffennol
Gan y merched mae'r dyfodol.

Dwi'n falch o'r ethos yma yn y Bartneriaeth a dwi wir eisiau gweld mwy o sefydliadau'n ymroi i ddatblygu sgiliau a chodi hyder merched yn y byd gwaith.

Ac wrth sôn am ennyn balchder, dwi hefyd yn falch iawn o'r gwaith prosiect mae Partneriaeth Ogwen yn ei wneud. Un o'r prosiectau mwyaf llwyddiannus hyd yma yw cynllun Ynni Ogwen – cynllun ynni dŵr sy'n defnyddio llif afon Ogwen i gynhyrchu trydan gan greu elw cymunedol i'w ailfuddsoddi yn ein cymunedau. Dwi ddim yn ecolegydd nac yn beiriannydd felly doedd gweithio ar brosiect hydro erioed yn rhywbeth y baswn i wedi dychmygu ei weld ar fy CV ond pan rwyt ti'n gweithio yn y maes datblygu cymunedol, does 'na'm dewis ond bod yn eofn a mynd am gyfleoedd a phrosiectau hyd yn oed os nad wyt ti'n gyffyrddus â nhw neu'n arbenigo ynddyn nhw.

Am gyfnod hir 'nes i fyw, brifo a chwysu Ynni Ogwen, a hynny ar y cyd ag unigolion allweddol hyfryd a grŵp o wirfoddolwyr ymroddgar. Pobol leol sy'n berchen cymdeithas budd cymunedol Ynni Ogwen, pobol leol sy'n ei reoli, cwmni lleol o Wynedd adeiladodd y cynllun a gwirfoddolwyr lleol sydd yn awr yn sicrhau fod y tyrbin yn troi a'r arian yn dod i mewn. Ein cynllun ni fel cymuned ydy o, a ni fydd yn derbyn y budd amgylcheddol ac economaidd o'i wireddu. Ers sefydlu Ynni Ogwen, mae prosiectau amgylcheddol eraill wedi dechrau, ac mae'r effaith luosogi, y madarchu, yn rhywbeth sy'n fy nghyffroi. Mae 'na fomentwm naturiol yn dilyn llwyddiant prosiect cymunedol fel Ynni Ogwen ac mae angen parhau i gynnal y momentwm hwnnw i gryfhau a chynnal cymunedau.

Pan dwi'n sgwennu am fy ngwaith, dwi'n byrlymu. Weithiau mae fy meddwl i'n gwibio mor gyflym dwi'n methu cael fy ngeiriau allan. I raddau dwi'n meddwl fod pob rhiant yn gallu cydymdeimlo efo'r stad yna o feddwl. Y poeni parhaus am fanion byd gwaith wrth drio dal i fyny efo apwyntiadau, clybiau a gwaith cartref y plant, golchi llawr y gegin, trio cadw'r mynydd o ddillad sy'n cylchdroi rhwng y peiriant golchi, y lein a'r fasged olchi ond byth rywsut yn cyrraedd y droriau cywir.

Ar brydiau, does 'na'm cydbwysedd. Yn fwy na hynny, mae'r glorian yn gwegian. Ydy hynny'n fy ngwneud i'n fam wael? Mae 'mhlant wedi cael eu llusgo i sawl cyfarfod ac mae Eiri wedi cael ei bronfwydo o flaen sawl dyn anghyffyrddus mewn cyfarfodydd yn ystod y misoedd diwethaf. Mae fy mhlant hynaf wedi arfer clywed fi a'r gŵr yn traethu am bwyllgorau a grantiau a phrosiectau dirifedi ac mae'r ddau fach, er dan 9 oed, yn dallt fod gwaith eu rheini ill dau yn ymwneud â gwella cymdeithas. (Er, yn ôl Lloer, dwi'n gwerthu llyfrau ac yn ôl Gwydion dwi'n cynhyrchu trydan…).

Yn anochel, mae'r gwaith yn treiddio y tu hwnt i furiau swyddfa Ogwen ac mae'n anodd dianc o'r filltir sgwâr lle dwi'n byw, magu a gweithio. Dw innau ar fai. Fel lot o famau, a thadau, dwi'n mynd â'r gwaith adra. Dwi bellach yn arbenigwr ar newid clwt wrth drefnu cyfarfod ar *speaker phone*, neu ateb e-byst wrth agor poteli paent a PVA. Mae'r dechnoleg fodern yn felltith yn hyn o beth ac mae switsio i ffwrdd, yn llythrennol, yn anodd. Does 'na'm dianc rhag hon – yr iPhone. O ran delio efo llwyth gwaith, dyna ydy un o heriau mwyaf bod yn fam sy'n gweithio. Mae jyglio yn ffordd o fyw i famau ond pan mae gormod o blatiau'n troi, mae ambell un yn mynd i gracio. Dwi'n lwcus fod gen i ŵr sy'n fy narllen i'n dda ac mae o'n gwybod pan fod 'na orlwytho gwaith, plant, emosiynau a 'neith o 'ngorfodi i i ddianc i ben mynydd am awr neu ddwy. Pwy sydd angen *mindfulness* pan mae gen ti Moel Faban? O wneud hynny, dwi'n dod i lawr yn well person, mae'r trymder yn codi a dwi'n gallu anadlu. Er mor werthfawr ydy gwaith i mi, mae gwella a gwarchod y cydbwysedd cartref a gwaith yna yn rhywbeth dwi eisiau ei sicrhau wrth fynd yn ôl i'r gwaith o gyfnod mamolaeth – yn ôl at fy ngalwedigaeth.

Felly, ar ddechrau pennod newydd, dyma fy llais i. Dwi'n fam, dwi'n weithwraig galed, dwi'n fi. Mi goda i fy llais, ond dwi ddim yn dda am weiddi. Dwi jyst yn gweithredu efo egni tawel ond angerddol, a hynny efo pobol anhygoel yr ardal yma. Ymrwymiad i'm teulu, i'm cymuned a'm gwaith – dyma sy'n rhoi cryfder i mi. Dyma sy'n fy modloni i. Dyma sy'n fy ngwreiddio.

I had very small feet... and they said:
'Oh well, you don't expect to win anything
with those feet do you?'

Irene Steer o Gaerdydd a enillodd Fedal Aur
yng Ngemau Olympaidd Stockholm 1912 am nofio 400 metr.

6
Y Dihuno

SIÂN HARRIES

Tair munud yn gwmws. Dyna faint o rybudd ma 'nghorff i'n rhoi i fi cyn i'r larwm ganu. Bob bore yn ddi-ffael. Fel hen ffrind yn rhoi nyj fach dawel, achos bod e'n deall faint dwi'n casáu syrpréis.

Ma'r stafell yn dal yn dywyll wrth i fi estyn am fy ffôn a throi'r larwm bant rhag dihuno Tom, fy nghariad. Dwi'n llusgo 'nghoesau oddi dan y dillad gwely, y blew trwchus yn crafu'n erbyn y cotwm. Ych. Isie wacsio sy arna i, sai'n ffeminist. Sori, jôc shit. Gobeithio bydda i'n fwy doniol prynhawn 'ma.

Ddim 'mod i yn erbyn ffeministiaid. Ma nhw'n ffasiynol iawn ar hyn o bryd. Dwi jyst yn credu eu bod nhw'n hala ni fenywod i edrych fel bod ni'n cwyno trwy'r amser. D'yn ni ddim yn *oppressed*, sai'n byw mewn *harem*. Fi'n ennill arian fy hun a fi'n neud yn gwmws be fi isie, pryd bynnag fi isie. Ocê, falle bod dynion yn ca'l mwy o dâl ar y cyfan ond nage ein bai ni yw hynna am beidio gofyn am ragor? Fi wastad yn gofyn am ragor. Ac os oes unrhyw un yn dweud wrtha i bod ddim hawl 'da fi i wisgo Jimmy Choos i'r gwaith, fe wna i'n bersonol eu taflu nhw o dan geffyl.

Ma'r haul yn arllwys i mewn i'r gegin wrth i fi daflu'r shyteri mawr pren ar agor. Dwi'n fflicio'r tecyl mlân, neud bach o ioga, a rhestru popeth dwi'n ddiolchgar amdano wrth yfed dŵr poeth a lemwn. Cawod fach glou tra bo'r wyau'n berwi, cyn ychwanegu afocado a phostio llun ar Instagram #MyBestLife.

Dyma'r drefn bob bore ers i fi symud i Lundain. O gylchgrawn ges i'r syniad. Y ffordd orau o'i 'gael e i gyd' – gyrfa, prydferthwch, iechyd – yw i godi awr yn gynt. Syml rili. Ac felly'n ddyddiol, fi'n codi 'da'r wawr. Fel Tad-cu 'nôl yn Sir Benfro. Er, dim *Marie Claire* na'th ei ysbrydoli fe. Mae'n tueddu i ddigwydd yn naturiol os chi 'di bod yn godro ers chwe deg mlynedd.

Reit, gwisgo. Legings i guddio 'nghoesau a *go-to* ffrog berffaith sy 'da fi i'r stafell sgwennu – nefi plaen; defnydd sy'n anadlu rhag ofn i fi chwysu 'da'r holl adrenalin; *sleeves* fel 'mod i'n gallu anwybyddu 'mreichiau a chanolbwyntio ar fod yn ddoniol, a belt sy'n profi 'mod i ddim yn dew ond sy ddim yn hala fi edrych yn rhy secsi chwaith. Sai isie tynnu gormod o sylw. Dim ar ôl i un comedïwr ddweud wrtha i bod e ffili gweithio un tro achos bod 'na ferch yn yr un stafell ag e yn gwisgo sgert rhy fyr. Ofynnon nhw byth mo 'ddi'n ôl.

★

Dwi'n fflician trwy gylchgrawn wrth aros i weld y nyrs. Dwi 'di gorfod ffitio *smear test* clou mewn bore 'ma, ac yn ffodus, ro'dd 'na le. Ma erthygl pedair tudalen yn egluro sut galla i stopio becso am fy ngwddf. Shit. Dwi byth wedi becso am fy ngwddf. Breichiau, yn bendant, pen ôl, heb os, ond gwddf? Diolch byth bod 'na restr o'r holl ffyrdd 'lla i osgoi llinellau a sagio, ac am £800 ma 'na *lasers* i dynhau popeth. Ble fydden ni heb gylchgronau menywod? Dwi ar ganol rhwygo'r wybodaeth hanfodol 'ma mas pan dwi'n clywed,

'Megan Jones?'

Dwi'n gorwedd ar y gwely uchel, dillad isa bant, pengliniau 'di plygu, ffrog dan fy mhen ôl, yn ceisio ymlacio gan syllu ar y nenfwd. Ydy hi'n bosib ymlacio wrth syllu ar nenfwd? O 'mhrofiad i, mond pethe gwael sy'n digwydd fel rheol; gweld corryn, ca'l *filling* yn y deintydd, ca'l rhyw diflas 'da'r boi o'n i ddim yn ffansïo.

Ma 'na nyrs siâp pêl yn rhuthro mas o du ôl i'r llen, menyg *latex* yn cael eu snapio mlân a sbectol hanner-lleuad 'di balansio'n dwt ar ei thrwyn bach crac.

'I'm between waxes,' dwi'n dweud, wrth iddi rwtio eli rhewllyd ar fy mits i – sy'n hala fi i feddwl am Mrs Williams Blwyddyn 2 a pha mor browd bydde hi ohona i am y treiglad meddal 'na, o ystyried y sefyllfa.

Dim hon yw'r nyrs ges i'r tro dwetha. O'dd hi'n lyfli – dwi'n cofio hi'n chwerthin wrth iddi godi 'mhen ôl a na'th rhech fach ddod mas. Sai'n credu bydde'r nyrs 'ma'n gwrthfawrogi'r hiwmor rywsut, ac felly dwi'n cymryd anadl ddofn ac yn paratoi at deimlo'r llosgi cyfarwydd.

'Don't clench.'

Fi'n chwythu mas. Ma nhw'n dweud bod anadlu dwfn yn gyfwerth naturiol i anesthetig. A ma nhw'n llawn shit. Dwi'n gallu teimlo hi'n trio ongl arall a dwi'n anadlu'n ddwfn eto trwy 'nhrwyn. Dwi'n gallu gwynto'r *latex*. A dyma wich fach boenus yn dianc o 'ngheg.

'It's no use, I can't get in there.'

A gyda snap o'i maneg ma hi'n ôl tu ôl i'r llen, yn gadel i finne dynnu'n mhants lan fel merch ysgol euog tu ôl i'r sied feics.

Mae'n gofyn ers pryd mae 'di bod yn boenus a dwi'n egluro bod *smears* wastad yn boenus a bod y nyrs ddwetha 'di defnyddio *speculum* arbennig ar gyfer *virgins*.

'And are you a virgin?'

'No.'

'But you can't be enjoying sex?'

O'n i ddim yn disgwyl y cwestiwn 'ma am 8.15 y bore, felly dwi'n siglo 'mhen yn ddistaw wrth iddi barhau i sgrolio i lawr sgrin ei chyfrifiadur.

'Says here you have a history of painful periods?'

Oes, hunllefus. Cramps, cefn tost, blinder.

'I blacked out in an All Saints once because I'd lost so much blood. They don't show that on the BodyForm adverts.'

Dyw hi ddim yn gwenu. 'And have the doctors given you painkillers?

Ha! Ma'r doctoriaid i gyd yn credu mai ibuprofen a photel dŵr poeth yw'r ateb i bopeth.

'Yes, that won't do much. It sounds like endometriosis – when your womb sheds over your internal organs?'

Ffyyyyc. Fi'n cofio un doctor yn awgrymu siocled poeth.

Dim 'na be sy 'da fi, do's bosib? Dwi'n egluro 'mod i 'di bod yn cwyno am y poen ers o'n i'n yr ysgol. Na fydde rhywun 'di sôn am hyn o'r blân?

Mae'n parhau i deipio ar ei chyfrifiadur.

'The only way to find out is to cut you open and do a larposcopy. But you should get it checked out because it can affect your ability to have children.'

Ma'r awel yn dwym wrth i fi gamu mas o'r syrjeri ond mond tynnu'n siaced yn dynn o'm cwmpas dwi'n gwneud. Dyw e ddim yn neud sens. Dwi byth 'di isie plant hyd yn oed... ond am ryw reswm ma'r teimlad o golled yn un siarp.

Dwi'n tapio'r gair mewn i'm ffôn... endorhywbeth? *Endometriosis* ma Google yn cynnig, ac wrth i fi sgrolio i lawr, dwi'n gweld fforwm ar ôl fforwm o fenywod yn gofyn yr un peth â fi: 'What do I do?'

Mae'r poen mor ddi-stop i Kat2016 druan, fel ei bod hi isie rhwygio'i bola mas. Ac am un eiliad hunanol felys dwi'n ystyried mai camgymeriad yw hyn i gyd. Dyw 'mhoen i *ddim* yn gyson, mond yn fisol. Ond wrth ddarllen y symptomau eraill – gorwaedu, rhyw poenus, mislifoedd mor boenus bod nhw'n cymharu â rhoi genedigaeth i fabi (o, yr *eironi*) – dwi'n gwybod yn fy mol mai dyma beth sy arna i 'fyd.

When the womb sheds it can sometimes travel back through the fallopian tubes and into the stomach.

Ma 'na ddeiagram. Ac am y tro cynta erioed dwi'n sylweddoli cyn lleied dwi'n gwybod ynglŷn â sut ma 'nghorff i'n gweithio 'lawr fan'na'. Y tro dwetha i fi hyd yn oed feddwl am y peth oedd… pryd? Blwyddyn 4? Fi'n cofio pawb yn gorfod ceisio labelu deiagram a Jason Rees yn cael ei anfon at y Prifathro ar ôl tynnu llun coc o dan un Sara Pritchard.

O'dd gartre ddim yn addysgiadol iawn chwaith. Bydde Mam byth yn trafod pethe fel'na, mond gadel pecyn o bads trwchus mewn cwdyn porffor ar y landing fel rhyw fath o dylwyth teg y mislif.

Dwi'n dod ar draws un wefan lawn ffeithiau 'di ca'l ei sgwennu mewn pincs a phorffors, lliwiau merchetaidd, anymosodol, sy'n dweud wrtha i: '10% of all women have Endometriosis', 'It takes on average 7 years to diagnose', neu'r un sy'n fy nharo i fwya – 'There is no cure.'

★

Mond ugen munud yn hwyr ydw i ond ma'r stafell yn gwynto fel cymysgedd o goffi cryf ac Acqua di Giò yn barod.

'Sorry I'm late, I had to go and get stuff shoved up me.'

Dyma bedwar pâr o lygaid yn gadel y clip YouTube llond rhegi ma nhw'n ei wylio. Jay, y cynhyrchydd, sy'n gwenu gynta. Dwi 'di gweithio gyda Jay sawl gwaith – boi ffein, ffan o waith Victoria Wood, yr un oedran â fi, mond bod e'n edrych fel bod e ar brofiad gwaith. Sam a Dave yw'r ddou arall, pâr sy'n aml yn gweithio gyda'i gilydd – Sam a'i jôcs budur ond sy mor addfwyn â bwni, a Dave a'i hiwmor fel mellten a'i chwarddiad fel anifail fferm.

Matt yw enw'r boi arall. Sai 'di cwrdd â fe o'r blân ond, yn ôl Google, fe sy'n sgwennu ar un o'r sioeau paneli mwya ymosodol ar y teledu. Fi, fel arfer, yw'r unig fenyw. Tybed os o'dd ymdrech i ga'l rhywun o gefndir ethnig gwahanol hefyd? Er, falle bod e'n ddigon bod Jay yn hoyw?

Wrth i fi eistedd, dwi'n sylwi bod Matt yn syllu arna i. Dwi'n ca'l hyn lot a dwi'n nabod ei deip. Wedi'i fagu i drin menywod fel pethe *delicate*, ma rhai dynion wastad yn cymryd sbel i ymlacio o 'nghwmpas i. Ac ma rhaid ca'l yr hyder i weud unrhyw beth yn y sefyllfa 'ma.

Ma 'na ford fawr wen yn llenwi'r rhan fwyaf o'r stafell gyda *strip lighting* uwchben sy fod i edrych yn *cool* ond sy rili jyst yn atgoffa fi o sied mas y bac Anti Jean. Ma 'na beiriant Nespresso cymhleth yn y cornel a thu ôl iddo, ar y wal, ma rhywun 'di tynnu llun cath yn pisho. Tystiolaeth o waith caled y sgwenwyr o'dd 'ma ddwetha.

Ma'r sitcom ni'n sgwennu ynglyn â YouTuber a'i ffans, a ma'i 'di cymryd chwe mis i ni gyrradd y pwynt yma. 'Punching up day' ma nhw'n galw heddi, pan chi'n cymryd sgript yr un, ac yn ychwanegu llinellau doniol. A dyma pam, dwi'n dychmygu, bod Matt 'ma.

Ni'n dechre gweithio. Ma Jay 'di agor teclyn ar ei gyfrifiadur sy'n golygu bod modd arddangos sgript pawb ar y wal tu ôl iddo. Ma 'na rai sy'n casáu'r pwysau o weithio'n annibynnol cyn eistedd rownd bwrdd yn cymharu jôcs – ond dwi wrth fy modd. Ma fe lot haws na gorfod gweiddi'n syniadau dros leisiau dwfwn. Dim bod ots 'da fi weiddi. Ond, weithie, ma'n neis ca'l hoe fach.

'Very good Matt,' ma Jay yn dweud a dwi'n neud pwynt o beidio edrych lan. Ma'n well 'da fi ganolbwyntio ar fy ngwaith fy hunan am sbel, a be bynnag, dwi'n gallu dweud bod y jôc yn un ddoniol achos bod Dave yn brefu.

Mae'n ddeg munud arall cyn i Jay chwerthin eto. 'Oh my God, hilarious. Megan?'

Dwi'n edrych lan i weld ma 'nhudalen i o'r sgript sydd ar y wal nawr.

'Did you write that?'

Dwi'n penderfynu anwybyddu cwestiwn Matt ac i ganolbwyntio ar ymateb y lleill – Sam sy'n llythrennol dagu ar Dorito, a Dave sy'n gwneud synau fel petai'n amser te yn Folly Farm.

Dyw Matt, be bynnag, ddim wedi gorffen. 'I'm not sure.'

Beth?

'It's a cracking line but… wouldn't it be funnier if Andrew said it?'

Andrew yw'r boi sy'n berchen y sianel YouTube.

Dwi'n anghytuno. 'No, I think it's funnier coming from Macey.'

'But Andrew is more stupid? I thought we didn't want Macey to be seen as a dumb blonde?'

'He's right,' ma Sam yn dweud, yn binc gan beswch. 'We did intentionally avoid making Macey ditzy.'

Mae'n wir, o'n ni isie osgoi *stereotype* y 'ditzy blonde'. Ond wrth edrych 'nôl trwy'r sgriptiau, mae'n eitha amlwg bod Macey 'di datblygu mewn i *stereotype* arall ma menywod yn dueddol o chwarae mewn comedi; y llais rhesymol. Hynny yw: *dim yn ddoniol.*

Ma Matt yn trial 'to. 'The line itself can still go in, it's hilarious.'

'Yes, but I wrote it for Macey.'

Dwi'n 'llu teimlo 'ngwyneb yn twymo. Shit. Fel arfer dwi wastad yn falch o'r ffaith 'mod i'n gallu cadw'n cŵl. Dwi 'di hen arfer â'n jôcs i'n cael eu dosrannu, eu gwrthod, yn marw hyd yn oed. Ond ma rhywbeth yn wahanol am heddi. Ma hyn yn wahanol.

Dal i syllu ar y wal mae Jay. 'It's such a great line it doesn't matter who says it.'

But it does matter.

A ma Matt yn parhau, 'I just don't think it suits her character.'

'Yes, but why does her character have to be the sensible one? Why can't she fuck up or fall over and be funny every now and then?'

'It's not realistic she would be that stupid. Women just aren't.'

A dyma fi'n snapio.

'Women *are* stupid! We're not always sensible, or even likeable. And non-stupid people do stupid things all the time! I've just found out I've been ignoring a debilitating disease.'

Ma 'ngwyneb i ar dân erbyn hyn ac yn sydyn reit dwi'n deall yn union beth yw'r golled dwi 'di teimlo ers bore 'ma. Dyw e ddim byd i neud â cha'l plant, ma fe i neud â fi. Fy mywyd *i*. Ugain mlynedd o fod yn sâl. Bob mis yn treulio wythnos yn y gwely, ers o'n i'n yr ysgol. Yn colli cyfleoedd gwaith, priodasau ffrindiau, diwrnodau Dolig, penblwyddi teulu, gwyliau, anturiaethau, rhyw, *bywyd*. Dwi 'di bod yn anabl ers chwarter fy mywyd fel oedolyn. A sneb 'di gwrando arna i.

Yr holl ddoctoriaid 'na – dynion i gyd – na'th ddweud wrtha i am fod yn dawel, i fynd i ffwrdd a pheidio gwneud ffỳs. *Y dynion sy 'di ca'l y llinellau i gyd yn fy mywyd i hefyd.*

'Turns out it isn't normal to have excruciating periods.'

Dwi'n gweld Matt yn edrych i lawr. Mae'n glou, fel mellten, ond dwi'n teimlo fe – y *cywilydd*, 'mod i 'di gweud gair ddylen i ddim.

'Oh, I'm sorry, is that a dirty word? Periods?'

Yr holl bethe afiach dwi 'di clywed ar ei raglen e – jôcs budur, hiliol, secsist – a'r gair bach 'ma yw'r un sy'n ypsetio fe?

Yr holl weithiau dwi 'di defnyddio'r term 'women's troubles' achos 'mod i'n rhy *embarrassed* i drafod beth o'dd yn bod, i siarad am fy nghorff i.

'You have no right to find it disgusting, to make us feel ashamed of our bodies, we shouldn't have to suffer in silence, just because it isn't relevant to *you*, because *you* don't want to hear about it. Tough. *Period. Period. Period. PERIOD!!!*'

Dwi 'di mynd yn rhy bell, dwi'n gwybod 'ny. Does dim siw na miw gan y bois. Yr holl ffys o'dd 'da fi bore 'ma ynglŷn â dewis ffrog fydde ddim yn tynnu sylw i'r ffaith 'mod i'n fenyw. A be dwi'n neud? Sgrechen y gair 'period' yn eu wynebau nhw. Da iawn, Megan. Clasur. Er, dwi heb fecso am 'y mreichiau i. Dim unwaith.

★

Mae hi'n dal yn olau pan dwi'n cyrradd adre ond dwi'n mynd yn syth i'r gwely. Dwi'n plicio'r hen ffrog chwyslyd bant wrth i Tom bipo mewn a gofyn os dwi isie swper. Mae'n dod i ga'l cwtsh Nos Da, ac wrth i fi ddringo mewn i'r gwely mae ei wyneb yn holgar wrth iddo sylwi ar fy nghoesau. Shit. 'Nes i anghofio ca'l nhw 'di'u wacsio 'to.

'Ie, fi'n ffeminist nawr,' dwi'n dweud wrtho fe, sy'n hala fe wherthin a chusanu 'mhen i.

Ond y peth yw, am y tro cynta erioed, sai'n jocan.

To me gender is not physical at all,
but is altogether insubstantial. It is soul, perhaps,
it is talent, it is taste, it is environment,
it is how one feels, it is light and shade,
it is inner music.

Conundrum Jan Morris

7
Gwneud Baner

SARA HUWS

Mae rhywbeth hudol am Swindon.

Wel, nid Swindon yn benodol, ond rhyw hanner ffordd rhwng gadael a chyrraedd, rhwng Llundain a Chaerdydd.

Yn Swindon, mae batri'r ffôn yn darfod, yr hangofyr yn clirio a dwi'n colli synnwyr o ble rydw i. Dwi 'di bod yn neud y daith yma, yn ôl a mlaen i Loegr, ers deng mlynedd.

Y tro yma, yn 2011, dwi'n teithio'n ôl o gìg *standup* ac mae'r gymysgedd o adrenalin a blinder yn feddwol.

Mae'n braf suddo mewn i siwrne. Neithiwr, o'n i'n Gymraes Oddi Cartre – *Gwell Cymraes*. Fy r's yn trilio'n llawdrwm a phob sgwrs yn arwain at Gymru, trwy ryw ffordd neu'i gilydd. Dwi'n canu. Esbonio datganoli mewn *beer gardens*. Pan ddo i adre, bydda i'n lot llai bywiog yn fy nghymreictod. Adre, dwi'n lesbian Gymreig, yn y drefn yna. Un braidd yn anghymdeithasol a difrifol. Yng Nghaerdydd, dwi'n teimlo rhyw glostroffobia cymdeithasol – sy'n magu dycnwch sinigaidd yn'a i, o dro i dro, am 'Sin Gymreig' y ddinas.

Ond rŵan, hanner ffordd adre, nid honno dwi chwaith. Mewn hanner byd, rhwng gadael a chyrraedd, lle nad oes un label yn sticio, mae 'na ryddid. Mae'n siom, ond ddim yn sioc, fod yr hudlath yma'n cripio drosta i ar drên First Great Western. Cyn lleied yw'r cyfle i jyst bodoli, mae o'n gorfod digwydd mewn sedd flêr, bigog, rywle ar gyrion tre sy fwya enwog am ei Designer Outlet.

Ai menywod sy'n adnabod y rhyddid 'ma orau – o deithio rhwng dau fyd? Sy'n profi'r pleser o ddadwisgo labeli am ennyd? Faint ohonon ni sy yn y cerbyd yma, rŵan, sy'n brysur yn bod yn fersiwn ddistaw, mwy dirgel ohonon ni ein hunain?

Wrth i fi bendroni a nesáu at adre, dwi'n synhwyro torf o 'nghwmpas. Dechreues i ddychmygu seddi'r trên yn llawn o fenywod Cymreig o bob siâp a llun – cyd-deithwyr o bob cyfnod a chefndir. Pob un ohonon ni'n rhannu yn y rhyddid tawel sy rhwng dau le. Menywod Cymru'n cyd-deithio'n dawel a blinedig tuag adre.

Wrth i fi gyrraedd Caerdydd dwi'n penderfynu mynd â nhw adre efo fi.

★

Wrth i'r teimlad o gyd-deithio â menywod Cymreig aros efo fi, dwi'n dechre chwilio am fenywod – ar y teledu, ar y we, o gwmpas y ddinas. Yn ddiarwybod dwi 'di dechre eu cyfri. Ar raglenni panel, mewn penawdau. Jyst sbio i fyny o'n ffôn nawr ac yn y man i weld a oes un yno, ar blinth neu ar blac.

Un pnawn, dwi'n penderfynu eu cyfri i gyd. Y rhai yng Nghaerdydd ta beth. Dwi'n lloffa am oriau trwy gronfeydd data, rhestrau maith o gofebau ac adeiladau nodedig. Mae'n lot o gyfri i gyrraedd *zero*. Does dim un fenyw wedi'i choffáu yn gyhoeddus yng Nghaerdydd. Jyst lot o fwstashys a baw adar.

O bob un cerflun cyhoeddus o ferch yng Nghaerdydd, does dim un ddynes 'go iawn' yn eu plith. Hynny yw, dynes sy'n fyw, neu sydd wedi bod yn fyw, rywdro. Rhywun allwch chi gwglo. Maen nhw i gyd yn fôr-forynion, yn famau, yn dduwiesau – dim un ohonyn nhw'n meddu ar rywbeth mor goncrit ag enw cyntaf, neu ddyddiad geni.

Yr agosa dwi'n ei ffindio ydi cerflun o forloi benywaidd – *Billy the Seal* – a bìn wedi'i 'noddi i'r gymuned gan Miss Millie', y masgot cyw iâr wedi ffrio.

Dyw hyn ddim yn sefyllfa unigryw i Gaerdydd. Os ydyn ni'n hepgor Diana, Liz a Victoria, dim ond 2.7% o gerfluniau cyhoeddus Prydain gyfan sy'n coffa a chynrychioli menyw – a dim ond un o'r cerfluniau yna sy'n dangos dynes sydd ddim yn wyn. Yn ein prifddinas ni, fodd bynnag, rydyn ni'n dal ar 0%. Does dim un ddynes yn ein hanes ni sy'n ddigon haeddiannol, yn ddigon nodweddiadol, i'w rhoi ar bedestal yn y brifddinas.

Wrth chwilio casgliadau, archifau a chronfeydd data, prin iawn oedd y wybodaeth am fenywod Cymru, o gymharu â'r wybodaeth doreithiog am Ddynion Pwysig Ein Cenedl. Wrth gwrs, roedd ambell eithriad, ond yn aml menywod 'eiconig' oedden nhw – pobl sy 'di symud y tu hwnt i gig a gwaed ac wedi magu rhyw bresenoldeb mytholegol: Jemeima Niclas, Mari Jones, ac wrth gwrs, Miss Millie.

O'n i wedi cymryd yn ganiataol fod y wybodaeth allan yno, yn rhywle – mai jyst fy niogi fi oedd wedi fy atal rhag dysgu am y menywod 'ma. Ond ymddengys ei bod yn weithred brin a radical dros y canrifoedd – i ofyn rhywbeth i fenyw o Gymru, i wrando ar ei hatebion; eu cofnodi, eu cadw'n saff ac yna, eu gwneud yn hygyrch. Mae gwaith curaduron fel Minwel Tibbott, a deithiodd hyd a lled Cymru yn holi merched am eu bywyd bob dydd yn y 1960au, ynghyd â gweisg ac archifau radical fel Honno: Gwasg Menywod Cymru ac Archif Menywod Cymru, yn ynysoedd o gynrychiolaeth. Mae eu gwaith yn creu darlun o gymuned fechan ond gweithgar o bobl a benderfynodd, rywdro yn ystod y ganrif ddiwetha, fod hanes menywod Cymru yn haeddiannol ac yn werthfawr, ac wedi gweithredu i'w roi ar gof a chadw.

Mae rhywbeth syml, fel rhoi enw a wyneb i rai o'n cyd-deithwyr ni yn rhywbeth mor werthfawr. Yn bersonol, mae'n neud i fi deimlo fel taswn i'n perthyn. Hyd yn oed os nad ydw i'n gweld pobl fel fi – menywod hoyw, cecrus, tew, amherffaith, llymeitgar, sy'n hoffi gweu a chydls – yn aml ym mywyd cyhoeddus Cymru, mae'n gysur gwybod ein bod ni wastad wedi bod 'ma, o leia.

★

Felly dyma ddechre ymchwilio pwy *allen* i, mewn byd delfrydol, ei rhoi ar bedestal yng Nghaerdydd, a sylweddoli'n fuan iawn pa mor rhwydd oedd hi i lunio rhestr o Ddeg o Fenywod Gwyn, Dosbarth Canol Gorau Cymru (With Extra Hetiau Fflopi). Fel rhai o'n sefydliadau cenedlaethol, mi oedd gen innau dyllau yn fy nealltwriaeth o hanes Cymru. Mi geisiais ddod i ddeall yn well sut y gallai hanes menywod duon, asiaidd ac o leiafrifoedd ethnig eraill, gael eu hepgor yn llwyr o'n stori genedlaethol. Os yw'n weithred radical i wrando ar fenyw a rhoi ei hatebion ar gof a chadw, mae'n weithred hollol hanfodol i wrando ar fenywod sy'n cael eu gorthrymu oherwydd lliw eu croen, eu hunaniaeth rhyw neu eu rhywioldeb.

> ARDAL FONWS – CREU FFEMINSTIAETH GROESTORIADOL: TIPS BOB DYDD, Y CYNTAF O'U BATH YN GYMRAEG!!
> Rydyn ni wedi clywed am y Bechdel Test – tri chwestiwn sy'n dirnad a yw ffilm yn trin menywod fel pobl go iawn. Wel, dyma brawf newydd. Tri chwestiwn MOT i ti gael profi dy ffeministiaeth:
> 1. Pwy sy'n *cael* bod yn ffeminist?
> 2. Pwy sy'n *medru* cymryd rhan yn fy ffeministiaeth i?
> 3. Pwy sy'n cymryd rhan yn fy ffeministiaeth i?
> Os oes gwahaniaeth rhwng dy atebion, dyna lle sy isie i ti ddechre gweithio, chwaer.

Wrth ddarllen a chwilota, daeth yn amlwg fod cymaint na allwn i fyth ei ddysgu am y menywod yma. Beth yrrodd y nofelydd Dorothy Edwards i gamu o flaen y trên i Gaerffili, yn 31 oed? Beth oedd dyheadau a breuddwydion

Helen Thomas, a laddwyd gan yr heddlu yng Nghomin Greenham? Beth ddigwyddodd i Irene Protheroe, a achubodd faner y 'Cardiff Women's Suffrage Society' trwy ei chuddio lan ei sgert?

Ond weithiau does dim enw cynta, neu dim enw o gwbl, jyst wyneb mewn ffotograff neu wrthrych dienw. Ro'n i eisiau ffordd o gofnodi a dathlu hanes menywod a fyddai'n cydnabod yr hyn na fyddwn ni byth yn gwybod amdanynt.

Felly dyma ddechrau gwneud baneri. Penderfynais i, a'n ffrind Siân Lile-Pastore, ein bod am frodio baner fechan i gofnodi pob dynes ro'n ni'n dysgu amdani. Y bwriad oedd i gyrraedd cant, ac i wneud hynny yn gyhoeddus. Dyma ni'n brodio mewn caffis, mewn gerddi pybs, ac yn gwahodd pobl i ymuno â ni, i wneud eu baner eu hunain neu i ddysgu pwytho. Roedd creu'r baneri bychain yn sbringfwrdd i sgyrsiau newydd, llefydd newydd a chymuned newydd – ac yn help i fi ddringo o 'nghromen grintachlyd. Wn i ddim a ydych chi erioed wedi pwytho enw o'r blaen. Mae'n fyfyrdodol a phersonol. Mae pwytho enwau gydag eraill yn broses arbennig iawn, sy'n creu gofod i sgyrsiau anodd, difyr, annisgwyl a llawn llawenydd.

Braint y grefftwraig ydi gallu gofyn, yn wyneb unrhyw sefyllfa: beth alla i'i wneud allan o hwn? Yn yr achos yma, cant o faneri bychain yn cyhwfan – pob baner yn cofnodi enw bywyd dynes na fyddem byth yn ei gweld ar stamp neu bapur pumpunt.

★

Daeth yr holl waith astudio, myfyrio a brodio i ryw fath o anterth ddamweiniol un pnawn ym Mehefin 2015, pan sefydlais i amgueddfa newydd ar hap a damwain.

Ro'n i ar fy awr ginio ac yn cerdded o flaen yr Amgueddfa Gen yng Nghaerdydd, pan welais fod Twitter ar ganol cylch o ddicter (arall) – y tro hwn ar achlysur agor amgueddfa Jack the Ripper yn Llundain.

Achosodd agoriad yr arddangosfa hon, o fanecins gwaedlyd a hetiau o eBay, dipyn o sioc yn ei chymuned. Roedd pennaeth y fenter newydd wedi addo creu amgueddfa hanes menywod newydd yn Whitechapel i ddathlu hanes merched yr ardal, a'u cyfraniad i hanes Llundain a thu hwnt. Dadorchuddiwyd yr arwydd mawr y tu allan, oedd yn dangos dyn mewn clogyn a *top hat*, a phwll o waed wrth ei draed. Yn y siop, roedd Ripper Cupcakes ar werth drws nesa i gyfrolau llawn manylion iasoer am lofruddiaethau Whitechapel. Trodd cyffro'r gymuned yn ddicter a siom.

Roedd y protestiadau yn gynddeiriog, ond fe lwyddon nhw i uno cyd-brotestwyr anarferol – o bobl leol i haneswyr, ymgyrchwyr gwrth-ffasgiaeth i leianod. Pan wyt ti'n llwyddo i ypsetio Chwiorydd Lleyg St George-in-the-East a Class War Women's Death Brigade ar yr un pryd, mae 'na bosibilrwydd dy fod ti wedi gwneud camgymeriad dyrys.

Ac felly fe sefydlwyd yr East End Women's Museum y diwrnod hwnnw, yng Nghaerdydd. Fe benderfynais i, a'r haul yn fy llygaid, adrenalin yn fy ngwythiennau a chwys ar flaenau fy mysedd: beth am ddefnyddio'r sgiliau sy gen i, a chreu amgueddfa allan o'r dicter 'ma? Beth petaen ni'n trio agor yr amgueddfa goll? Yr un a addawyd i'r gymuned, cyn iddi gael ei dadorchuddio fel dathliad cyfalafol o ddadberfeddiad?

'I am a woman with a very specific set of skills,' fel y dwedodd Liam Neeson yn y ffilm *Love, Actually* – a fy rhai i yw gwneud pethau amgueddfaol. Dwi 'di gweithio fel glanheuwraig toilets amgueddfa, fel menyw Duduraidd, person sy'n sticio'r lluniau ar y wal, fel ymchwilydd, curadur ac fel strategydd amgueddfaol. (Dwi hefyd wedi gweithio fel model noeth ac mewn ffatri jocled ond ysgrif wahanol ydi honno.)

Fe ofynnais i hen ffrind, Sarah Jackson, sy'n arbenigwraig ar hanes yr ardal, a fyddai hi eisiau creu yr amgueddfa efo fi – ac mi ofynnodd hi i Bawb ar Twitter.

O fewn awr mi oedd ganddon ni ateb – roedd cannoedd o bobl eisiau cymryd rhan. O fewn diwrnod roedd ganddon ni wefan. O fewn deuddydd, roedd ganddon ni dros wyth cant o wirfoddolwyr yn barod i helpu. O fewn tridie roedd y *New York Times* wedi e-bostio, yn gofyn pryd o'n ni'n mynd i agor.

★

O fan'no, mi aethon ni allan i gymunedau dwyrain Llundain.

Agorodd archifdai lleol, archifau radical ac amgueddfeydd bychain eu drysau i ni. Mi aethon ni allan – i sgwats, i brotestiadau, i siopau peis a marchnadoedd i gofnodi hanes y menywod yno. Unwaith i ni ei roi ar gof a chadw, ro'n ni'n dychwelyd i'r union lefydd hynny i greu arddangosfeydd a chynnal sgyrsiau.

Mi bwythais i faner fawr i ni, yn mesur pob llythyren efo sialc teiliwr fy nain. Fe gerddon ni fel bloc bychan Hanes Menywod, yn nathliad 80 mlynedd Brwydr Cable Street – brwydr wrth-ffasgaidd a oedd yn drobwynt yn hanes protestio'r dde eithafol ym Mhrydain. Nid myfyrdod oedd y faner hon, ond atgoffeb weledol fod menywod wedi ymladd yn Cable Street, yn rhan allweddol o fudiadau protest, ddoe fel heddiw. Heidiodd menywod eraill at ein baner biws, i rannu straeon am eu hymgyrchu nhw. Greenham. Hawliau Tai. Gwrth-hiliaeth a Gwrth-ffasgiaeth. Tâl Cyfwerth.

Wrth i ragor o fenywod ddod i gyd-deithio efo ni, daeth ein harddangosfeydd yn fwy, a'n sefydliad yn fwy sefydlog. Ar un bore heulog, fe deithiais i Barking i siarad efo aelod o staff y cyngor, yn y gobaith y byddai'n cynnig siop wag i ni ar gyfer y flwyddyn i ddod. Yn lle siop, fe ddaeth â darn mawr o bapur wedi'i rolio. Cynllun adeilad mawr newydd. Yn gegrwth (ac yn rhannol amheus), fe gerddon ni i lawr at yr afon, i safle warws Comet oedd ar fin cael ei ddymchwel. Oedden ni isio creu cartre i'n casgliadau fan hyn?

Ac felly eleni, gyda help Helen Pankhurst, fe lansion ni amgueddfa hanes menywod gynta Llundain. Gyda lwc, bydd yr adeilad yn barod erbyn 2020, ac yn gartre hirdymor i hanesion menywod o bob math – ein llythyrau, ein lleisiau, a'n baneri.

Mae'r teithio'n ôl a mlaen yn dechre fy mlino erbyn hyn – mae adeiladu sefydliad yn gyfres o gamau bychain, rhwystredig, cyffrous. Ond gyda phob siwrne, rydyn ni gam yn nes – ac mae'r hud yn dal i olchi drosta i, wrth i ni dynnu o'r platfform yn Swindon.

★

Epilog:
Wedi'r *Suffrageddon.*

Ers i fi ddechre ymchwilio i gerfluniau o fenywod ryw saith mlynedd yn ôl, mae tipyn wedi digwydd.

Rydyn ni wedi cael cyfnod llawn trafodaeth am fenywod yn ein bywyd cyhoeddus yn ddiweddar, er enghraifft – un nad ydw i'n cofio erioed o'r blaen: o Jane Austen ar y *tenner* newydd i gerfluniau newydd o Mary Seacole a Millicent Fawcett. Ond o'r diwedd, mae pobl Cymru wedi sylwi ei bod hi'n hen bryd codi dynes ar bedestal yn ein prifddinas ninnau hefyd – hyd yn oed os mai ei tharo i lawr oddi yno fyddwn ni yn y pen draw.

Er nad cofeb efydd ar blinth yw'r unig ffordd – neu hyd yn oed y ffordd fwya cyfredol – o gydnabod rhywun, mae 'na gymaint ohonyn nhw yng Nghaerdydd, a phob un ohonyn nhw'n ddynion. Tra ein bod ni'n dal i'w comisiynu, oni fyddai'n neis cael un sy'n dangos menyw?

Ond wedyn, pam ein bod ni'n gorfod dewis? Nid

cystadleuaeth yw ffeministiaeth, felly pam rhoi dim ond un fenyw ar bedestal?

Os oes lle i Ann neu Betty, wedyn mae'n siŵr bod lle i Tanni, i Shirley, i Sarah ac i Jan, neu Gwendoline a Mary.

Neu beth am roi wfft i'r syniad bod angen bod yn eicon, neu'n *role model* i haeddu cydnabyddiaeth yn y lle cynta?

Mae *Suffrageddon* – neu ddathliad 'can mlwyddiant' ennill yr hawl i bleidleisio – wedi bod ac wedi mynd. Wrth i fi sgwennu hwn, mae gweithdai creu baneri, lluniau o'r bonedd yn eu sashys a rhaglenni Lucy Worsley yn ddigwyddiadau dyddiol. Ond erys llawer o'r ffocws ar ymbweru menywod, nid rhyddhau. Rhaid cofio bod dros dair miliwn o fenywod wedi'u hepgor gan ddeddfwriaeth 1918. Am resymau economaidd, roedd llawer ohonyn nhw'n fenywod Cymreig, ynghyd â menywod o leiafrifoedd ethnig, a menywod dibriod ar draws Prydain. Bu raid iddyn nhw aros tan 1929 i daro pleidlais. Dydi '89 mlynedd ers yr hawl i bleidleisio' ddim yn swnio mor oleuedig rywsut.

Mae canrif yn swnio fel Amser Maith yn Ôl. Mae'n gyfforddus o bell yn ôl, *ers talwm*, pan oedden ni'n *arfer* trin menywod yn wael. Ond amrantiad ydi can mlynedd mewn hanes – ac mae menywod dosbarth gweithiol, o gefndir ethnig lleiafrifol, menywod LBT yn dal yn anghymesur yn y ffordd maent yn cael eu hepgor o'n bywyd cyhoeddus yma yng Nghymru. Mae mis bach o ddigwyddiadau, ambell raglen deledu, a dathliad can mlwyddiant yn bethau adeiladol ynddyn nhw'u hunain – ond maen nhw hefyd yn medru bwydo'r myth o gydraddoldeb modern.

Beth am i ni drio chwalu rhamant yr 'eicon ffeminist' yn gyfan gwbl, a dathlu hanes y menywod sy o'n cwmpas bob dydd? Mae ein bywyd bob dydd, ein gwisg, ein hymddygiad a'n hagweddau i gyd yn nodweddiadol o'r cyfnod rydyn ni'n byw ynddo. Felly beth am ddathlu merched yr unfed ganrif ar hugain, a brwydro eto fyth am eu hawliau? Y ferch sydd heb fedalau Olympaidd, neu lwyth o arian, yr un sy – fel llawer ohonon ni – heb wireddu ei breuddwydion, newid y byd, ac sy'n rili ffycin poeni am Brexit a'r *overdraft* pan fydd hi'n plicio tatws.

Dyna beth mae hanes yn ei gynnig – tu hwnt i 'ysbrydoliaeth' hawdd-ei-becynnu: cysylltiadau go iawn efo bywydau a straeon tu hwnt i'n profiadau ni. Rhai sy'n annog empathi, dealltwriaeth a chymuned, ac yn ein hatgoffa bod gorthrwm merched dros y canrifoedd yn systemig, yn gyson ac yn dal i ymwneud â'r un themâu – ein lleisiau, ein cyrff, ein hiechyd a'n hamser.

Rhyw bythefnos yn ôl, mi ddechreuais i faner newydd. Y fwya hyd yn hyn, wedi'i hysbrydoli gan faneri'r syffrajets a Greenham. Mae'n llawn llofnodion menywod Cymru heddiw, wedi'u pwytho gan ddwsinau o ddwylo. Dwi ddim yn gwybod i ble mae hi am ein harwain ni, ond mae croeso i chi deithio efo ni.

A rat in a maze is free to go anywhere
as long as it stays inside the maze.

The Handmaid's Tale Margaret Attwood

8
Cyfres o lythyron am fywydau menywod o gefndir amaethyddol

ENFYS EVANS

Annwyl Mam-gu,

Dynes eich milltir sgwâr oeddech chi, Mam-gu. Naethoch chi ddim crwydro'n bell o'ch ardal enedigol erioed. Dwi'n cofio clywed y syndod yn eich llais pan o'n i'n ffonio adre o Awstralia yn ystod fy nhri mis yno. Rhyw anghrediniaeth fod eich wyres ben pella'r byd er yn swnio fel petai'n ffonio o drws nesa. Hyd yn oed mwy o gamp i Mam a geisiai esbonio'r e-byst fydde hi'n eu derbyn gen i. Y dechnoleg oedd yn eich synnu neu'r syniad fod eich wyres wedi mynd mor bell? Doedd dim hanes yn ein teulu ni o bobl yn crwydro am gyfnod hirach nag wythnos o'r blaen!

I ddweud y gwir roedd gwyliau'n beth estron iawn i chi, Mam-gu! Gweithio oedd yn eich gwaed, a gweithio'n galed ar hyd eich oes. Hyd yn oed gydag oedran, talcen caled oedd eich perswadio chi i beidio â gwneud gormod neu hyd yn oed adael i rywun arall helpu. Ydych chi'n cofio'r prynhawn Sadwrn hwnnw pan gwympon ni'n dwy mas yn rhacs? Tua pymtheg oed o'n i siŵr o fod a chithe wedi gweitho mas fod un ohonon ni wastad adre gyda chi. Cadw golwg arnoch chi oedd y briff ond glanio'n llygad y storom wnes i'r diwrnod hwnnw. Trio eich helpu yn yr ardd a dweud rhywbeth, sai'n cofio beth, na'th neud i chi styried am y tro cynta mai gofalu amdanoch chi o'n i yn hytrach na chi'n gofalu amdana i! Wel, os do fe 'de! Fe waeddoch a chau dryse'n glep, a chwympodd awyrgylch rhewllyd dros y tŷ am rai diwrnode.

Mae'r atgof wedi aros 'da fi am sawl rheswm: Y ddelwedd ohonoch chi Mam-gu yn ddynes browd, annibynnol, y gallwn ei hedmygu. Y siom fu'n drwm ar fy nghalon wrth i chi wneud i fi deimlo fy mod wedi'ch twyllo. Y sylweddoliad fod pethau ar fin newid yn tŷ ni, nad oedd amser yn sefyll yn llonydd i neb.

Yn eich nawdegau roedd croen eich hwyneb mor llyfn â chroen babi; hyd y diwedd roedd yn berffaith. Stori wahanol oedd y dwylo, oedd yn bradychu'r ôl gwaith. Mae 'na fenywod mewn hanes a gyflawnodd bethau rhyfedd, wedi gwneud darganfyddiadau pellgyrhaeddol; ond chi Mam-gu yw fy ysbrydoliaeth i. Fe golloch eich mam yn dair blwydd oed ac etifeddu llys-fam galed. Chawsoch chi ddim llawer o gariad yn ifanc, a dyna sydd i gyfri am y caledwch yn eich cymeriad, mae'n siŵr. Aethoch ymlaen heb golli ffydd a bod yn ofalus iawn o'ch brodyr a chwiorydd ar hyd eich oes, yn enwedig eich llysfrawd a'ch llyschwaer.

Dal ati wedyn ar ôl marwolaeth eich gŵr, fy nhad-cu, a Mam ond yn bymtheg oed. Fe wnaethoch chi beth oedd angen ei wneud bob amser er lles y bobl o'ch cwmpas. Ar ddiwedd y dydd, Mam-gu, dangosoch chi gryfder rhyfeddol a gwytnwch heb ei ail. Faint o fendith fu'r gymuned glòs gefn gwlad drwy'r amseroedd anodd? Y capel oedd eich noddfa, a'ch ffydd yn gadarn bob amser.

Dwi ddim am honni y byddech wedi symud gyda'r oes, gan mai menyw bur draddodiadol oeddech chi. Tybed beth fyddai eich teimladau am ordeinio'r fenyw gyntaf yn Esgob? Dwi'n gobeithio y byddech yn croesawu'r newid â breichiau agored gan gydnabod gallu merched i wneud gwahaniaeth ac i gredu ynddyn nhw eu hunain; rhywbeth na chawsoch chi'r cyfle i wneud. Wrth drin y tir rhoddwyd eich gallu i drin geiriau i'r naill ochr. A fyddai eich stori yn wahanol pe byddech wedi cael mynd i goleg?

Heddiw, Mam-gu, dwi'n teimlo'n hynod falch fy mod wedi cael treulio gymaint o amser yn eich cwmni ac wedi elwa o brofiadau eich bywyd chi – y bendithion a'r creithiau. Mor hawdd oedd ein plentyndod ni o'i gymharu â'ch un chi. Dim cyfrifoldeb, dim gwaith ac oriau o chware braf. Mi fyddai digon gennych i'w ddweud heddi pe baech yn gweld y segura a'r agwedd gwneud prin digon sy'n lledaenu fel pla yn ein pobl ifanc. Wir i chi, Mam-gu, ma 'na bobl yn dod o dramor i wneud y swyddi dyw pobl y wlad yma ddim yn barod i'w gwneud.

Fyddech chi'n bles o'r dylanwad gafoch chi arna i, yn ferch ifanc wedi ei throchi ag ethos gwaith cadarn a'r bwriad i roi ei gorau bob amser? Dyma fy nheyrnged i'ch cenhedlaeth chi a'ch dyfalbarhad pan nad oedd pethe bob amser yn hawdd.

Llawer o gariad,

Enfys

★

Annwyl Enfys (16 oed),

Efallai dy fod yn teimlo fel dafad golledig ar hyn o bryd wrth geisio torri dy gŵys dy hun yn y byd; rwy'n gwybod, achos fe fûm i yn yr union sefyllfa. Roeddwn i'n ymlwybro yn y tywyllwch ac yn teimlo bod pawb arall ar lwybr gyrfa sicr. Mynd yn erbyn y duedd gyffredinol ymhlith merched fy nghenhedlaeth. Nifer wedi bod ar dân i brofi pwynt, eu bod nhw'n gallu cael gyrfa'r un mor lwyddiannus os nad yn well na dynion. Byddi di'n teimlo pwysau ambell dro i brofi dy hun, dewis gyrfa, i stico ati, hyd yn oed os yw'r gwaith hwnnw'n erydu pwy wyt ti'n araf bach. Pa wahaniaeth os nad wyt ti'n ennill miloedd ar filoedd mewn gyrfa lewyrchus? Ti sy'n dewis dy lwybr, neb arall, a dyna gryfder i'w drysori. Sdim angen poeni am fod yn hafal i neb, yn ddyn neu'n ddynes, dim ond bod yn driw i ti dy hunan.

Mae lledu adenydd yn bwysig, rhaid mentro codi pac. Mi fydd dy wreiddiau'n angor ym mhob storom. Cartref, cefn gwlad, cymdeithas. Os rhywbeth, mae peryg i'r angor fod yn rhy gadarn wrth i ti drio torri'n rhydd gyda phlwc cadarn. Efallai y bu cyfnod mewn dinas fawr ddrwg dros y ffin yn brofiad da i fi, ond roedd y dynfa adre'n ormod.

Ai dyletswydd yn unig sy'n ein taflu i grombil bywyd diwylliannol y fro? Na, fe ddoi di i sylweddoli ei fod yn fwy na hynny. Rwyt ti'n rhan o'r gymuned, a'r gymuned yn rhan ohonot ti. Ry'n ni wedi ein magu ym mwrlwm y Clwb Ffermwyr Ifanc, yr ysgol Sul a'r capel a phob math o ddigwyddiadau eraill. Ti'n cofio partïon Nadolig hwyliog plant y pentre? Bu degawd a mwy heb barti, a'r bwlch yn amlwg wrth i blant y pentre golli nabod ar ei gilydd. Ro'n ni i gyd yn mynd i'r un ysgol gynradd ond nawr mae'r plant yn mynd i bump ysgol gynradd wahanol yng Ngheredigion. Oni bai am weithgarwch ein cymuned, ni fyddai'r plant yma'n ymwneud â'r plant lawr yr hewl. Tristwch mawr fyddai hynny ac yn hoelen yn arch ein cymuned glòs. Cofia atgyfodi'r parti!

Dyw rhai pethe ddim yn newid. Merched sy'n dal i neud y te! Menyw oedd pob un y gofynnwyd iddyn nhw ffurfio'r fyddin weini mewn te angladd yn y pentre yn ddiweddar. Paid â bod ofn gwneud i'r dynion wneud te a golchi llestri ar ddiwedd cyfarfod o'r Clwb Ffermwyr Ifanc. Tasg *gender neutral* yw berwi tegell! Gore po gynta y gwelan nhw hynny'n hollol glir!

Paid â bod ofn sefyll yn gadarn dros dy farn, hoffwn i pe bawn i wedi dysgu'r wers honno ynghynt. Mae dynion weithiau (sai'n cyfeirio at bob un yma!) yn meddwl eu bod nhw'n gwybod yn well na ni'r merched. Dyw syniad ddim yn un da os nad yw wedi dod o'u cegau hwy'n gyntaf. Pan oeddwn i'n iau ces ambell brofiad o drafod materion mewn pwyllgor a chynnig syniad a sgubwyd o'r neilltu yn gyflym, ond i'r syniad ailymddangos mewn cynnig eto mewn pecyn gwahanol ychydig yn ddiweddarach – a'i dderbyn. O bosib fod hyn gymaint i'w wneud â hyder ag yr oedd yn ymwneud â rhyw; ond bob tro, dyn ailbecynnodd y syniad. Os wyt am gynnig syniad, cyflwyna'r cynnig yn hyderus – am bob un da bydd 'na ddeg ddim cystal – ond mae rhywbeth i'w ddysgu o bopeth. Mynna fod lleisiau merched yn cael llwyfan teg!

Dwi'n meddwl ein bod ni'r merched yn fwy parod i drio pethau newydd ond rhaid dyfalbarhau gyda'n syniadau. Peidio â rhoi'r gorau iddi ar y rhwystr cyntaf oherwydd fe ddaw pobl (yn araf bach!) i werthfawrogi'r ymdrech. Yn aml mae pobl yn sefyll 'nôl ac yna does dim yn digwydd yn y diwedd. Arwain trwy esiampl, a daw eraill i ddilyn. Dim pawb sy'n hoffi merch yn arwain, fe brofi di hynny hefyd. A'r rheiny fydd yn gwneud hwyl am ben dy frwdfrydedd dros y CFfI. Gall rhai geiriau frifo ond ti'n gwybod yn dy galon dy fod wedi derbyn ffagl werthfawr o'r criw aeth o dy flaen a bod cyfrifoldeb arnat ti i gynnal y fflam i'r genhedlaeth ddaw ar dy ôl. Efallai fod hynny'n swnio'n faich, ond o fuddsoddi amser ac egni, cei elwa ar dy ganfed mewn nifer o ffyrdd gwahanol, cael sgiliau newydd, hunanhyder, llwyddiannau a gwneud llu o gyfeillion.

Dal ati!

Enfys (37 oed)

★

Annwyl Elliw,

Tair oed wyt ti heddiw wrth i fi roi'r geirie yma ar bapur. Rwyt ti'n llawn diniweidrwydd, heb dy ddylanwadu gan y byd mawr o'th gwmpas eto. Mae 'ti', 'fi', 'hi' a 'fe' yn eiriau heb ystyr pendant; gall bachgen fod yn 'hi' heddiw, 'fe' fory a 'merch' drennydd. Nid oes labeli yn dy fyd syml heb ragfarnau.

Cawn dreulio prynhawn Mawrth gyda'n gilydd yn ffermio! Oriau gwerthfawr a hapus. Dwi heb dreulio cymaint â hyn o amser ar y fferm ers blynydde, a bois bach, dwi'n joio. Awyr iach a chyfle i wneud gwaith gwahanol i'r arfer. Edrycha ar y ffotograff sydd wedi ei dynnu o'r awyr ar wal gegin y fferm a gweli ddwy ferch fach yn rhedeg drwy cae bach. Fi a dy fam sydd yno yn mwynhau'r rhyddid. Mae pobl wastad yn meddwl fy mod i'n byw ar fferm a finne'n dweud 'Na, fy wncwl sy'n ffermio.' Enfys Hafan ydw i i rai ac mae hynny'n creu teimlad o berthyn, mae'n fwy personol na defnyddio'r cyfenw. Un o draddodiadau bach braf cefn gwlad.

Tybed a fyddi di'n ystyried amaethu fel gyrfa yn y dyfodol? Yn bersonol teimlais fel merch nad oedd y llwybr hwnnw ar agor i mi. Y genhedlaeth o'm blaen yn hapusach i weld y ferch yn y tŷ, yn paratoi cinio yn hytrach nag allan yn gwneud gwaith y fferm. Oeddwn i'n iawn i feddwl hyn, dwi ddim yn siŵr, a dwi erioed wedi gofyn, ond dyna'r argraff a gefais i. Camddehongli'r arwyddion a wnes i efallai oherwydd, wedi'r cyfan, roedd Mam-gu, dy hen fam-gu di, wedi gwneud mwy na'i siâr o drin y tir.

Rwyt ti mor awyddus i helpu ar hyn o bryd. Camgymeriad mawr ar ein rhan ni fyddai damsgen ar hynny. Os wyt ti isie helpu i gymysgu llaeth, fe gei di gymysgu llaeth yr ŵyn bach. Os wyt ti isie helpu i symud whilber llawn gwair o un sied i'r llall, fe gei di â chroeso, hyd yn oed os yw hynny'n cymryd mwy o amser! I gynnal diddordeb mae'n rhaid rhoi cyfle, a bydd cyfle i ti bob tro.

Dwi'n nabod nifer o ferched sy'n amaethu ac yn hynod o lwyddiannus. Ar y cyfan, mae'r ganran yn fach. 'Na i rannu stori gyda ti am yr hyn ddwedodd ffarmwr wrtha i ddechrau'r flwyddyn: 'Ma menyw'n aml yn fwy defnyddiol yn y sied wyna, ma ganddi *sixth sense* am rywbeth sy ddim yn iawn.' Sut dylwn i gymryd y geirie yma? Cydnabyddiaeth o gyfraniad unigryw merch ar y fferm neu dystiolaeth fod merched yn ddefnyddiol pan ddaw hi at faterion geni a gofal mamol?

Nid dy ddigalonni yw'r bwriad. Mae yna dro ar fyd. Darllenais erthygl y llynedd yn sôn bod dros 25% o'r gweithlu amaeth nawr yn ferched. Yr un yw'r stori mewn gyrfaoedd eraill hefyd. Dwi'n gobeithio bod dy genhedlaeth di am chwalu'r hen stereoteipiau o rolau bechgyn a merched. Mae ffermwyr yn giamsters ar sawl crefft; maen nhw'n adeiladwyr, yn seiri, yn wyddonwyr, yn blymwyr, yn beirianwyr a llawer mwy. Merched, maen nhw'n dweud, sydd ore am wneud mwy nag un peth ar yr un pryd! Dwyt ti heb ddod ar draws cyfres *Mr Men* a *Little Miss* eto ond dwi'n edrych ymlaen i'th gyflwyno di i'r *Little Miss* newydd, sy'n ddyfeisydd. Syniad gwych i geisio normaleiddio merched mewn meysydd gwyddonol. Ac mae ffermio, yn fy nhyb i, yn faes gwyddonol.

Mae llawer o sôn am yr angen i drafod olyniaeth ffermydd yn agored ymysg y teulu. Sicrha dy fod yn cynnal y drafodaeth, os dyma dy ddymuniad, gan obeithio y bydd dyfodol i amaeth yng Nghymru ar ôl Brexit. Mae'n anodd rhagweld beth fydd sgileffaith y B fawr, dwi ddim yn siŵr a all unrhyw un ateb y cwestiwn ar hyn o bryd. Sdim amheuaeth fod y fferm deuluol Gymraeg dan fygythiad wrth i bobl droi fwyfwy at ddulliau dwys o gynhyrchu. Y broblem fwyaf yw fod pobl wedi colli cysylltiad â bwyd lleol ac am dalu'r pris lleiaf posib. Dwi am roi peth o'r bai am hyn ar ffermwyr y degawdau diwethaf wrth iddynt ganolbwyntio ar eu rhan hwy o'r gadwyn heb gadw golwg ar y darlun llawn. Fysen i ddim yn mynd i'r drafferth o beintio llun, ond wedyn ei adael mewn sied a disgwyl i rywun ei brynu! Mae angen marchnata ac ail-greu'r cysylltiad pwysig rhwng y tir, y cynhyrchwr a'r prynwr. Wedi'r cyfan mae bwyd yn un o hanfodion byw.

Pam pregethu am hyn wrthot ti? Dyma'r mewnbwn y gall merched ei gynnig, rhoi golwg ffres ar bethau, y parodrwydd i drio syniadau newydd, yr ymwybyddiaeth o'r byd tu allan i gylch cyfyng y fferm. Dwi'n ffyddiog y bydd y diwydiant yn cynnig llawer mwy o gyfleoedd cyfartal yn y blynyddoedd nesaf. Mae'r rhod yn troi ac os dy ddymuniad di fydd gyrfa ym myd amaeth, ni fydd dy ryw yn rhwystr i ti.

Llawer o gariad,
Anti Enfys

Men explain things to me, still.
And no man has ever apologized for explaining,
wrongly, things that I know and they don't.

Men Explain Things to Me Rebecca Solnit

9
Ffrwydriad o Liw

ELIN JONES

Cefais gwestiwn syml i'w ateb. Pa fenyw oedd wedi fy ysbrydoli yn fy mywyd gwleidyddol, ac yna cefais gais i ysgrifennu amdani. Aeth wythnosau lawer heibio a doeddwn i ddim nes at benderfynu. Roedd Margaret Haig Mackworth, Ledi Rhondda, yn bosibilrwydd fel un o ffigyrau pwysig y mudiad Suffragette yng Nghymru ar ddechrau'r ugeinfed ganrif; neu Millicent Mackenzie, ymgeisydd seneddol benywaidd cyntaf Cymru ar gyfer sedd San Steffan y Brifysgol yn 1918. Roeddwn i'n ymwybodol hefyd o gyfraniad Cranogwen fel arweinydd arloesol i fudiadau cenedlaethol ar droad yr ugeinfed ganrif, ac yn Gardi yn y fargen! Ac edmygwn gyfraniad dwy Gardi arall – Cassie Davies a Marie James, y naill ym myd addysg a'r llall fel un o Gynghorwyr cynnar Ceredigion. Pa un i'w dewis? Mi oeddwn i'n methu'n deg â phenderfynu.

Onid y gwir yw fy mod wedi hen gychwyn ar fy mywyd gwleidyddol cyn i mi hyd yn oed glywed am waith y menywod yma a byddai'n gamarweiniol felly i honni iddynt gael unrhyw ddylanwad arna i. Doedd yr un fenyw wedi tanio fy niddordeb yng ngwleidyddiaeth Plaid Cymru. Dim un! Nid bod hynny'n syndod efallai, oherwydd cyn i mi gael fy ethol i'r Cynulliad Cenedlaethol cyntaf yn 1999, nid oedd ond chwe Aelod Seneddol benywaidd wedi cynrychioli etholaeth Gymreig yn San Steffan erioed. A doedd dim un o'r rheiny'n agos at fy ngwleidyddiaeth genedlaetholgar, ddiwylliannol a gwledig i.

Ac yna, ar un o fy nheithiau mynych yn y car ar hyd yr M4 i Gaerdydd, fe wawriodd pethau'n sydyn arna i. Nid fy rhagflaenwyr sydd wedi dylanwadu fwyaf arna i nac wedi fy ysbrydoli, ond menywod sydd wedi cydoesi â mi – cydfforddolion ar y daith.

O'r 140 aelod a etholwyd i'r Cynulliad Cenedlaethol ers i mi gael fy ethol yn 1999, mae 61 ohonynt yn fenywod, sef 44%. Yn wir, wrth groesi'r trothwy o un ganrif i'r llall, gwelwyd ffrwydriad o liw yn nhirlun gwleidyddol Cymru. Ar ôl cyfnod o bron i ganrif lle'r oedd ond chwe menyw yn cynrychioli etholaethau yng Nghymru, gwelwyd degau'n cael eu hethol i'r Cynulliad Cenedlaethol.

Digwyddodd y newid yma yn bennaf oherwydd fod y Blaid Lafur – a Phlaid Cymru i raddau llai – wedi penderfynu ar ddull o ddewis ymgeiswyr ar gyfer etholiad cyntaf y Cynulliad yn 1999 oedd yn ffafrio dewis menywod mewn rhai etholaethau ac ar y rhestrau rhanbarthol. Fel mae'n digwydd, cael fy newis drwy gystadleuaeth agored a wnes i yn etholaeth Ceredigion, a fi oedd y fenyw gyntaf erioed i gael ei dewis yn ymgeisydd mewn etholaeth enilladwy gan Blaid Cymru. Roedd Plaid Cymru Ceredigion wedi dangos ei bod yn etholaeth ddigon blaengar yn 1992 drwy gydsefyll â'r Blaid Werdd i ennill sedd San Steffan, ac felly eto yn 1999. Penderfynodd Cynog Dafis beidio ag ymladd sedd y Cynulliad er mwyn rhoi'r cyfle i'r genhedlaeth nesaf o wleidyddion ac agorwyd y drws i rywun fel fi. Ac i Cynog hefyd y mae'r diolch am fy annog i gynnig fy enw, dros gwpaned o goffi yn y Caban yn Aberystwyth. Ugain mlynedd yn ddiweddarach, yn yr union gaffi, mi wnes i annog un o'r to ifanc i sefyll ar gyfer San Steffan. Mae yntau'n Aelod Seneddol Ceredigion erbyn hyn! Mae'r rhod yn dal i droi.

Ac felly, yn dilyn yr etholiad cyntaf hwnnw ym Mai 1999, fe deithiais i i'r Bae. Fe gymres fy llw ac yna mynychu cyfarfod cyntaf Grŵp Plaid Cymru. Cyfarfod llawn gorfoledd llwyddiant yr etholiad oedd hwnnw, a maint y dasg oedd o'n blaenau yn dechrau gwawrio arnom. Roedd dau ar bymtheg ohonom o bob cwr o Gymru, nifer ohonom yn cwrdd â'n gilydd am y tro cyntaf, a rhai'n dal mewn sioc o fod yna o gwbwl! Ac ymhlith y ddau ar bymtheg, roedd chwech o aelodau etholedig cenedlaethol benywaidd cyntaf erioed Plaid Cymru. Roedd profiad yn ein plith: Janet Daves AC yn gyn-Arweinydd Cyngor Taf Elái, Pauline Jarman AC a Jocelyn Davies AC yn Gynghorwyr Plaid Cymru yng nghymoedd y de. Roedd Helen Mary Jones AC eisoes yn ffigwr adnabyddus a dylanwadol o fewn Plaid Cymru.

Ac eithrio'r Toríaid, roedd gan y pleidiau gwleidyddol

eraill ganran uchel o fenywod yn eu plith – yn wir yn uwch na Phlaid Cymru. Cam sylweddol ymlaen oedd i Alun Michael, y Prif Ysgrifennydd, ddewis penodi menywod i brif swyddi ei Gabinet: rhai fel Edwina Hart, Jane Hutt, Rosemary Butler a Christine Gwyther i fod yn gyfrifol am Gyllid, Iechyd, Addysg ac Amaeth. Dros ddau ddegawd yn ddiweddarach, mae'n dal yn wir i ddweud nad oes menywod wedi dal y pedair swydd gyfatebol yn Llywodraeth San Steffan yr un pryd, a does dim argoel y bydd hynny'n digwydd yn fuan. Parhaodd y drefn oleuedig yng Nghymru wrth i Rhodri Morgan gymryd yr awenau fel Prif Weinidog o fewn blwyddyn, a phenodwyd Jane Davidson, Sue Essex, Jenny Randerson a Karen Sinclair hefyd i brif swyddi o fewn ei Gabinet. Nid ambell eithriad felly oedd penodi menywod i swyddi allweddol. O'r dechrau'n deg roedd menywod yn gwbwl gyfartal â dynion ac yn hawlio prif swyddi'r Llywodraeth. Yr unig swydd i ddianc o afael menyw hyd yn hyn yw'r oruchaf swydd o Brif Weinidog, ac fe ddaw'r diwrnod hwnnw'n fuan yn ddiamau.

Wrth feddwl am ddeiliaid cyntaf y swyddi yma, mae'n werth nodi hirhoedledd dwy yn arbennig. Bu Edwina Hart AC yn Weinidog Llywodraeth drwy gydol ei chyfnod yn y Cynulliad. Wn i ddim a oes unrhyw aelod etholedig arall yn ôl ym mhellafoedd amser San Steffan a all hawlio'r un clod, ond mewn gwleidyddiaeth fodern saif Edwina Hart ar ei phen ei hun fel gwleidydd a wasanaethodd am bedwar tymor seneddol heb eistedd o gwbwl ar y meinciau cefn.

Efallai y gellid honni na fyddai unrhyw arweinydd Llafur yn wynebu'r risg o gael Edwina ar y meinciau cefn, yn rhydd i fynegi ei barn gref, annibynnol, ddiflewyn ar dafod! Ac yna Jane Hutt AC. Wrth iddi hi gamu o'r neilltu o fod yn aelod o'r Cabinet yn Nhachwedd 2017, roedd wedi gwasanaethu o fewn y Llywodraeth am ddeunaw mlynedd a phum mis. Hi sy'n dal y record o fod yr Aelod Llafur i ddal swydd Gweinidog Llywodraeth am y cyfnod hiraf o fewn y Deyrnas Gyfunol.

Ond nid ar sail hyd eu gwasanaeth y mae mesur cyfraniad pwysicaf rhai o'm cyd-aelodau benywaidd yn y Cynulliad, ond yn hytrach ar sail eu cyfraniad gwleidyddol praff. Mae nifer yn parhau i ofyn i mi beth yw union ddylanwad menywod mewn gwleidyddiaeth. Nid fi yw'r un i ateb y cwestiwn, o bosib, gan i mi fod yn ffodus i wasanaethu yn unig mewn sefyllfa o gydraddoldeb rhywedd. Ond o edrych o'r tu allan, mae'n amlwg fod diwylliant a sioe wleidyddol San Steffan, yn y ddau Dŷ fel ei gilydd, yn gwbl wahanol i Siambr y Cynulliad. Er bod rhai weithiau'n deisyfu mwy o ddrama ar lawr y Cynulliad, i fi, mae'n bwysig cofio nad pantomeim yw gwleidyddiaeth. Os am bantomeim, byddai Boris a Jacob Rees-Mogg ymhlith y prif gymeriadau! Yn nyddiau cynnar y Cynulliad, cefais fy synnu gan weiddi anghwrtais y rhai a ddysgodd eu crefft yn San Steffan – rhai fel Rod Richards, Alun Michael, a hyd yn oed Dafydd Wigley ar dro! Bu'n rhaid wrth ddylanwad y menywod, a dogn o ddylanwad Dafydd Êl, i dawelu'r cecru anfoesgar a chreu patrwm o ymrafael a oedd o leiaf ag elfen o urddas a chwrteisi yn perthyn iddo.

Digwyddiad mawr dyddiau cynnar y Cynulliad oedd ymddiswyddiad y Prif Ysgrifennydd, Alun Michael AC, o fewn cwta flwyddyn i'r etholiad cyntaf. Roedd Alun Michael yn gynyddol amhoblogaidd o fewn ei blaid am ei ddull gorfanwl o oruchwylio gwaith ei Weinidogion, a hynny wrth gwrs ar ben yr anniddigrwydd oedd yn parhau am natur ei fuddugoliaeth dros Rhodri Morgan i fod yn arweinydd ei blaid. Yn ogystal, roedd diffyg arian cyfatebol i'r Rhaglen Amcan Un o du Llywodraeth San Steffan yn cynyddu'r pwysau gwleidyddol ar Alun Michael. Ond sut i'w ddisodli oedd y mân siarad yng nghoridorau Tŷ Hywel. Daeth yr allwedd i ddatgloi'r sefyllfa drwy feddwl treiddgar Jocelyn Davies AC.

Mae'r foment wedi'i serio ar fy nghof. Yn Stafell De'r Aelodau yr oeddem – ystafell gwbwl ddi-nod, heb unrhyw grandrwydd na moethusrwydd yn perthyn iddi, dim ond te, ac ambell lasied o win gyda'r nos. Dwi'n cofio'r bore pan wnaeth Jocelyn grybwyll ffordd bosib o ddisodli Alun Michael wrtha i a Ieuan Wyn Jones. Dadleuai fod pwerau'r Prif Ysgrifennydd wedi eu dirprwyo iddo gan y Cynulliad Cenedlaethol o dan y Rheolau Sefydlog, ac felly fe allai'r Cynulliad Cenedlaethol, drwy gynnig ffurfiol, bleidleisio i gymryd ei bwerau'n ôl a'u gweithredu'n uniongyrchol.

Perl o syniad. Nid araith fawr danllyd ar lawr y Cynulliad na sibrydion tanseiliol i gyfeiriad newyddiadurwyr oedd arf Jocelyn i ddymchwel Prif Ysgrifennydd, ond yn hytrach meddwl praff, ymarferol ar waith a meistrolaeth lwyr o'r manylion. Ac o'r foment dyngedfennol y gosodwyd y cynnig i gymryd y pwerau'n ôl, doedd dim modd yn y byd i Alun Michael oroesi.

Wrth gwrs, doedd yr hyn a ddysgais o wylio Jocelyn Davies AC wrth ei gwaith ddim yn gyfyngedig i'w dealltwriaeth a'i defnydd o ddeddfwriaeth sylfaenol y Cynulliad a'i reolau sefydlog, ond hefyd i'w gallu i weithio'n gelfydd ac yn deg ar draws pleidiau. Mae ymddiriedaeth rhwng gwleidyddion o fewn yr un blaid yn ddigon anodd i'w sefydlu, ond mae'n brinnach fyth rhwng gwleidyddion o wahanol bleidiau. Ambell un yn unig sy'n llwyddo i feithrin y grefft o weithio'n deg a chyson gyda gwleidyddion o blaid wahanol. Eto i gyd, mae'r grefft yma'n greiddiol i lwyddiant unrhyw glymblaid neu i gael cytundeb ar y Gyllideb.

Wrth i sylwebyddion gwleidyddol ddadansoddi cyfnodau'r ddwy glymblaid yn ystod ugain mlynedd cyntaf y Cynulliad, y duedd yw canolbwyntio ar berthynas yr arweinwyr. Mae'n wir fod y cysylltiad hir rhwng Rhodri Morgan a Mike German a'r parch tawel rhwng Rhodri a Ieuan Wyn Jones wedi bod yn hollbwysig i greu a chynnal Llywodraethau Clymblaid 2000 a 2007. Ond y tu ôl i'r llenni, ac yn fwy allweddol i lwyddiant y cyfnodau hynny, oedd y berthynas rhwng 'fixers' y pleidiau clymbleidiol – Sue Essex, Jane Hutt a Jenny Randerson yng Nghlymblaid Llafur a'r Democratiaid Rhyddfrydol, ac yna Jane Hutt a Jocelyn Davies yng Nghlymbaid Cymru'n Un.

Tra bo arweinyddion y pleidiau'n hawlio'r penawdau, a'r arweinyddion hefyd yn ysgrifennu a chofnodi eu hanesion, hawdd yw diystyru cyfraniad y menywod allweddol a fu'n gweithio'n ddiarbed i sicrhau llwyddiant y Llywodraeth a llwyddiant eu harweinwyr. Ymhlith eu sgiliau oedd eu dawn i berswadio, i fod yn bwyllog ac yn deg, yn hirben ac i fedru darllen pobol. Nid dyma'r sgiliau sy'n dod i feddwl rhywun yn gyntaf wrth feddwl am sgiliau gwleidydd, ond mae'r gwleidyddion mwyaf dawnus dwi wedi eu hadnabod yn meddu ar y sgiliau yma. Maent hefyd wedi bod yn brin iawn o un nodwedd arall – sef yr ego personol. A dyma o bosib un o'r prif wahaniaethau rhwng y gwleidyddion benywaidd a gwrywaidd dwi wedi eu hadnabod. Mae ego personol ac uchelgais yn gyrru llawer mwy o ddynion na menywod mewn gwleidyddiath. Peidiwch â'm camddeall: mae yna fenywod gor-hyderus a dynion diymhongar mewn gwleidyddiaeth hefyd, ond, yn gyffredinol, mae dynion yn dal yn barotach i gredu yn eu gallu cynhenid i fod yn geffylau blaen ac yn arweinwyr naturiol.

Ac felly, ar ôl bron i ddau ddegawd o wylio'r gwleidyddion o'm cwmpas wrth eu gwaith, nid rhyfedd i mi gael fy ysbrydoli gan gryfderau y rhai sydd uchaf eu parch gennyf – rhai fel Jocelyn Davies, Edwina Hart, Jane Hutt a Kirsty Williams. Trueni'r sefyllfa yw nad yw maint cyfraniad menywod fel hyn yn gyffredinol wybyddus. Ac eithrio Kirsty, nid yw'r rhain wedi chwennych neu lwyddo i arwain eu plaid. Ni wnes innau chwaith – chwennych na llwyddo. Ond mi wnes geisio, fel y gwnaeth Edwina.

Dwi wedi dod i gredu fwyfwy bod angen i'r math o fenywod ymarferol, pwyllog a chlyfar dwi'n eu parchu mewn gwleidyddiaeth feddu hefyd ar rywfaint o'r awch a'r hyder i fentro i'r brig. Dim ond dwy arweinydd plaid sydd wedi bod o hyd, ers 1999 – Leanne Wood AC a Kirsty Williams AC. Rhaid i hynny gynyddu.

Wn i ddim a yw pob menyw mewn gwleidyddiaeth yn ei chwestiynu ei hun yn barhaus i'r graddau y byddaf i. Cwestiynu fy ngallu, fy mhenderfyniadau, fy mhoblogrwydd. Synhwyraf fod menywod, at ei gilydd, yn eu cwestiynu eu hunain dipyn yn fwy na dynion. Boed hynny'n wir neu beidio, mi benderfynais yn gynnar iawn yn fy ngyrfa wleidyddol nad oeddwn yn mynd i ganiatáu i'r hunanamheuaeth yma fy llethu, ond yn hytrach fy sbarduno i weithio'n galetach i brofi fy hun i eraill. Felly, pan ddaeth cyfle i sefyll i fod yn Gadeirydd y Blaid, mi wnes yn 2000. Pan ofynnwyd i mi fod yn Weinidog Amaeth a Chefn Gwlad yn 2007, mi dderbyniais, wrth gwrs, a bwrw ati gyda brwdfrydedd a synnwyr o gyfrifoldeb. Yna, yn 2012, mi sefais i fod yn Arweinydd Plaid Cymru a cholli, ond roeddwn yn benderfynol o beidio â gadael i hynny fy suro nac ychwaith fy niffinio. Ac yn 2016 fe gynigies fy enw a chael fy ethol yn Llywydd y Cynulliad, ac erbyn hyn dwi'n gorfod defnyddio pob un o'r sgiliau a ddysgais ar hyd y blynyddoedd gan fy nghyd-aelodau benywaidd yn y Cynulliad.

Wrth i mi eistedd yn sedd y Llywydd yn Siambr y Cynulliad, caf fy amgylchynu gan 59 o'm cyd-aelodau. Llwyd a syber fyddai'r olygfa petaent i gyd yn ddynion mewn siwtiau, ond daeth menywod â lliw i'r Siambr ac i wleidyddiaeth. Yn wir, cafwyd ffrwydriad o liw yng ngwleidyddiaeth Cymru yn 1999, ac, er gwaethaf popeth, pery'r lliw hyd heddiw.

I want every girl to know
that her voice can change the world.

Malala

10
Codi Llais

LISA ANGHARAD

Ges i alwad ffôn yn gofyn i fi siarad ar raglen wleidyddol am ffeministiaeth. Gofynnodd yr ymchwilydd, 'Do we still need feminism today?'

Yn syml, ro'dd e isie gweld os o'n i'n gallu ateb yn gall a siarad yn aeddfed ac yn ddiddorol am y peth. Dechreues i ateb trwy ddweud, 'Yes, of course I'm a feminist, well because...' ond wedyn 'nes i banico a gwneud rhyw esgus bach tila, smytlyd (fy *go to*, i ga'l pobol ar fy ochor!) a gweud bo' fi ar y ffordd i B&Q a bod 'yn feddwl i ar bolion, a plis gallen ei ffonio fe'n ôl ar amser mwy cyfleus.

Wrth gymharu polion yn B&Q ro'n i hefyd yn trio dadansoddi pam bo' fi 'di ca'l *slight* panic pan ofynnwyd y cwestiwn 'na i fi. Fel ffeminist, dyle'r cwestiwn fod yn ofnadwy o hawdd i'w ateb. Ddyle fe? Dylen i allu rhestru'r holl anghyfartaledd sy'n bodoli heddi a sut bod canrifoedd o waith dad-wneud gyda ni fel rhywogaeth. Falle bo' fi ddim yn ffeminist go iawn wedi'r cyfan? Ydw i'n esgus, achos bod e'n trendi ar hyn o bryd?!

Erbyn i fi gyrraedd rhes y nobs yn B&Q (chi ar fy ochor i eto?!) ro'n i wedi sobri a sylweddoli bod y cwestiwn mor enfawr fel ei bod hi'n anodd gwbod lle i ddechre, heb sôn am y pwysau i roi'r ateb 'cywir'.

Wrth gwrs bod angen *feminism*. Ma'r ffaith bo' fi wedi gorfod amddiffyn ffeministiaeth yn ddiweddar wedi i Golwg 360 ryddhau erthygl gan rywun o'dd yn honni dyle hi fod yn ocê i gyd-weithiwr anfon tecst awgrymog at gyd-weithwraig, ac nad oes angen gwneud ffws am ddyn yn 'ceisio cusanu mewn tacsi'. Y gair 'ceisio' sy'n troi arna i fan hyn. Be sy mor anodd i ddeall am y ffaith bod hi'n amlwg pan mae rhywun ddim isie dy gusanu di, ac os nag wyt ti'n ca'l yr arwyddion, yn blwmp ac yn blaen, yna dyle fod dim 'ceisio' amdani!

Erbyn heddi, byddwn i'n lico meddwl bod pob merch, a lot o ddynion, yn ffeminyddion o ryw fath, a'n bod ni i gyd yn ymwybodol o'r anghyfartaledd sydd o'n hamgylch ni. Ond ma lot o ffordd 'da ni i fynd. Dwi'n credu'n gryf mewn cyfartaledd ac ma casáu a bychanu dynion yn troi arna i ac yr un mor niweidiol ag unrhyw anghyfiawnder arall.

Ond pan ma 'da chi grŵp o ddynion gwyn, canol oed yn brwydro'n ffyrnig yn erbyn cyfreithloni erthyliad yn Iwerddon, ac arlywydd America wedi cael ei ddal yn sôn am 'pussy grabbing' a holl ddatguddiadau #metoo, ma hi'n anodd peidio teimlo fod gan wrywod lot o waith i'w wneud i adfer ein parch ni ferched.

Yn 2015, ges i'r cyfle i ymweld ag ysgolion i siarad â

disgyblion chweched dosbarth ledled Cymru ar daith 'Hacio'n Holi' ar gyfer S4C, ac fe wnes i gyfarfod â gymaint o bobol ifanc agored, o'dd â meddylfryd mor gadarnhaol tuag at gyfartaledd rhwng y rhywiau. Ro'dd hi'n galonogol gweld bod llai o embaras gan y plant na'r athrawon wrth drafod rhyw, a'u bod yn ymateb yn fwy cŵl wrth glywed y 'C word' yn ca'l ei ddweud am y tro cynta o flaen ei gilydd (clitoris, gyda llaw – neu dafod…!).

Y prif bwnc ddewisodd y rhan fwya o ysgolion Cymru drafod oedd *consent*. Er yr hysbyseb gwych gan Thames Valley Police yn 2015[1] a oedd yn cymharu cydsynio rhywiol â chynnig paned o de (os oes rhywun wedi derbyn y cynnig am baned o de ond yn newid ei feddwl, neu'n cwmpo i gysgu, does dim hawl tywallt y te i mewn i'w cegau ta beth), mae problemau yn ymwneud â chydsynio yn parhau, yn enwedig ymhlith pobol ifanc. Mae'r wefan *rapecrisis* yn honni bod 55% yn fwy o ferched dan 15 oed wedi hysbysu'r heddlu am achos o drais eleni nag yn 2015-16.[2] Er mor bryderus yw hyn, yn y pen draw, gall e ond fod yn beth da fod merched yn dechre sylweddoli'r gwahaniaeth rhwng rhyw a chael eu cam-drin.

Yn sgil taith *Hacio*, dwi 'di pregethu eisoes fod angen newid ANFERTH ar addysg rhyw yng Nghymru. Ma angen addysgu plant bod rhyw yn ymwneud â pharch, boed

---

[1] I weld y ffilm *Tea and Consent* ewch yma: https://www.youtube. com/watch?v=pZwvrxVavnQ

[2] Mae'n werth taro golwg ar yr ystadegau eraill i weld maint y broblem: https://rapecrisis.org.uk/statistics.php

e'n rhyw diemosiwn neu'n rhyw cariadus mewn perthynas. O bornograffi mae plant Cymru yn ca'l eu haddysg rhyw ar hyn o bryd, ac fe allwch chi anghytuno nes eich bod chi'n las fel caill ddi-waith, ond dyna'r gwirionedd. Ma ysgolion uwchradd Cymru yn dal i ddysgu bechgyn sut i roi condom ar fanana, a dwi 'di'i ddweud e o'r blaen a weda i fe 'to: sawl coc chi 'di gweld sy siâp banana?!

Dyw merched ddim yn cael UNRHYW addysg o gwbl am sut i ga'l pleser o ryw, na chwaith be sy'n dderbyniol a be sy ddim. I ba reswm heblaw pleser y bydde merch 16 oed isie rhyw?! Felly, ma bechgyn yn gwylio pornograffi â chanran enfawr ohono'n ddynion yn dominyddu'r ddynes. Ma merched yn gwylio ac yn gweld merched yn esgus ca'l orgasms, yn ca'l rhyw ryff ac yn cael eu bychanu gan ddynion. Oes unrhyw ryfedd bod ystadegau trais Prydain yn cynyddu?

Pan fues i am noson mas yng Nghaerdydd yn ddiweddar ges i'n synnu pa mor ddi-bŵer ro'n i'n teimlo wrth edrych ar ddyn yn ceisio fflyrtio â merch drwy roi ei ddwylo drosti, ond fe na'th hi ei wthio fe bant, a na'th e'r un peth 'to. Na'th e ddim trio siarad â hi, jyst trio'i chyffwrdd er mwyn dangos iddi fod ganddo ddiddordeb ynddi. O'dd y boi yn ifanc ac yn feddw iawn yr olwg, a wnes i feddwl mor afiach o'dd y sefyllfa. Do'dd ganddo fe ddim syniad beth i'w wneud i ddangos ei fod yn ei ffansïo, ac ro'dd rhaid i'r ferch ei wrthod e'n amyneddgar dair gwaith. Pe bai'r ddau wedi ca'l addysg rhyw call o 5 oed ymlaen, fel mae plant Norwy yn ei ga'l, tybed a fydde'r dyn wedi meddwl bod angen iddo feddwi'n rhacs cyn trio fflyrtio a sylweddoli nad o'dd cyffwrdd y ferch am y trydydd tro heb ei chydsyniad yn beth parchus i'w neud? Dwi'n dyfalu'n llwyr fan hyn, ond byddwn i'n tybio mai addysg rhyw y bachgen o'dd porn, felly oes syndod mai dyma o'dd ei strategaeth?

Tybed allwn ni feio addysg rhyw gwael ar y rheini ohonoch chi sy'n ffans o 'geisio cusanu mewn tacsis'? Falle allech chi wylio'r fideo am gydsyniad gyda'ch gilydd un nos Sul lawog, fel eich bod chi rhywfaint yn gliriach ble ma'r llinell? Gallen i drefnu dangosiad ym mhabell caffi Maes B, os licwch chi. Neu, syniad gwell, falle dylai addysg rhyw fynd ar yr un trywydd â thrwydded yrru a bod rhaid i bobl dros 70 oed ga'l *crash course* bach am reolau newydd y byd rhyw.

Hefyd, rydyn ni angen addysgu merched sut i ddelio â dyn sy'n cyffwrdd â'i phen-glin. Y ffordd orau i wneud hyn yn 'y marn i yw drwy addysg rhyw o oedran cynnar iawn. Petai merched a bechgyn yn ca'l eu haddysgu yn 5 oed bod angen dangos parch tuag at gorff rhywun arall, a bod rhywun yn cyffwrdd â nhw yn eu gwneud yn anghyfforddus ac yn nerfus, yna byddai llai o'r ymyrraeth rywiol 'ma'n digwydd heddi. Petai parch at gorff yn rhan o addysg y genhedlaeth nesa, yna, yn hytrach nag ymateb fel hyn, 'O druan, drycha Lleucu, ma hi'n gorfod siarad â'r crîp 'na sy'n syllu ar ei thits hi', bydden nhw'n fwy tebygol o weld y peth fel trosedd ac yn helpu Lleucu mas.

Yn yr Iseldiroedd mae plant 5 oed yn trafod sut mae cariad yn teimlo, pan rwyt ti'n ca'l pilapalas yn dy fol ambell waith. Yn 7 oed maen nhw'n dysgu'r gwahaniaeth rhwng corff dyn a chorff dynes a'r termau am wahanol rannau o'r corff, a dysgu sut i gyfathrebu pan nad y'ch chi isie ca'l eich cyffwrdd. Yn 12 oed maen nhw'n ca'l y cyfle i ddysgu am atal cenhedlu, yn trafod gwahanol sefyllfaoedd yn agored ac yn ca'l rhoi cwestiyne mewn blwch di-enw a bydd trafodaeth am beth bynnag sy'n ca'l ei ofyn. Does dim un pwnc yn rhy tabŵ. Mae adroddiad y Cenhedloedd Unedig yn 2008 yn dangos bod hyn wedi ca'l effaith galonogol ar ystadegau beichiogi'r arddegau, ystadegau STIs ac erthyliadau peryglus, ac wedi creu cenhedlaeth agored sy'n gallu cyfathrebu am ryw yn llawer iawn gwell na gweddill y byd.

Petawn i wedi ca'l y cyfle i drafod cydsynio a thrais yn ysgol ac wedi ca'l gwell addysg rhyw drwy gydol fy mywyd ysgol, dwi'n eitha sicr y bydden i wedi riportio ambell achos o gamymddwyn yn fy erbyn i. Neu falle, gyda gwell dealltwriaeth ac addysg, fyddwn i ddim wedi bod yn y sefyllfa 'na yn y lle cynta. Bydd addysg rhyw gwell hefyd yn agor ambell ddrws rhwng rhiant a phlentyn fydde ddim yn naturiol wedi trafod y peth. Os yw plentyn 5 oed yn dod adre ac yn trafod y ffaith nag yw e'n beth neis cyffwrdd rhywun yn y binci-bo heb ofyn, yna ma hynna'n dechre sgwrs, a sgwrs fydde'n gallu parhau a datblygu drwy eu plentyndod. Byddai'n ca'l gwared ar yr holl stigma ac yn helpu i'n gwneud ni ym Mhrydain yn llai lletwith a *weird* am y peth.

Er agwedd agored Norwy tuag at addysg rhyw i blant,

mae ystadegau trais y wlad wedi codi'n syfrdanol yn y deg mlynedd diwethaf. Mae hyn yn syml oherwydd y newid mawr a fu yn y gyfraith yn 2005. Yn Norwy, os yw'ch bòs yn rhwbio yn eich herbyn heb eich cydsyniad unwaith yr wythnos am flwyddyn mae hyn yn 52 achos o drais. Dyma'r math o beth sy'n cythruddo'r 'pussy grabber' Trump a'i griw, y rheiny sy'n honni ein bod yn gwneud 'ffws am ddim byd', yn honni mai chwilio am sylw mae dioddefwyr #metoo. Ond dyma sydd ei angen, ma angen newid enfawr er mwyn trio ffeindio cydbwysedd i'r holl ganrifoedd o gam-drin sy wedi bod tuag at ferched, i ffeindio'r man canol lle does dim ots beth yw eich rhyw na'ch rhywioldeb, a bod parch yn ca'l ei ddangos at bawb.

Ma newid enfawr wedi bod ar lawr gwlad ers i fi fod yn fy arddegau ac ma merched yn llawer mwy ymwybodol o'u hawlie, maen nhw'n llawer mwy *empowered*. Erbyn heddi, ma cymaint o ferched ifanc yn cerdded o gwmpas yn eu crysau-t ffeminist, yn hashtagio *girl power*, ac yn ymwybodol o sloganau fel 'Girls just want to have fun… demental rights', 'We should all be feminists' a 'Fight like a girl'. Ma hyn i gyd oherwydd bod ffeminyddiaeth yn cŵl ar hyn o bryd a llawer o drafod ar ffeminyddiaeth yn y cyfrynge, gyda lot o selébs blaengar a brands ffasiwn enfawr fel Dior yn ei hyrwyddo.

Ond er bod y genhedlaeth nesa yn llawer mwy ymwybodol o ffeministiaeth, dwi'n poeni pe bai criw o ddynion yn hyrddio sylwade tuag atyn nhw wrth gerdded lawr y stryd, neu petai rhywun yn eu gwneud nhw'n anghyffordus mewn gweithle neu yn ystod rhyw, a fydden nhw'n ymwybodol o'u hawlie a beth yw'r camau priodol i'w cymryd? Yn bwysicach na hynny, ydyn nhw â digon o hunan-barch, hunan-werth i sylweddoli eu bod nhw'n haeddu gwell?

Er nad ydw i wedi ca'l fy ngham-drin yn rhywiol, nac erioed wedi gorfod dioddef ca'l fy nghyffwrdd yn amhriodol yn fy ngwaith er mwyn cadw fy swydd, nac erioed wedi ca'l fy nhalu hanner be ma 'nghyd-weithiwr gwrwyaidd yn cael ei dalu, dwi'n amsugno'r rhywiaeth sydd o'm hamgylch drwy'r amser.

Dwi wedi ca'l fy erlid o hotel am fod yn *topless* ar wylie (er bod dyn tew gyferbyn â fi gyda 'fun bags' llawer iawn yn fwy na'n rhai i yn gorwedd 'na yn hapus reit). Dwi wedi ca'l rhyw pan nad o'n i isie, gan bo' fi ddim cweit yn siŵr o'n hawlie na sut i fynd o amgylch y peth. A heddi, dwi, fel pob merch arall, yn dal i wynebu llif cyson o rywiaeth, ar ffurf cyfryngau cymdeithasol, posteri, dramâu a theledu realiti sy'n adlewyrchu'r anghyfartaledd ac yn aml iawn, ni mor gyfarwydd â fe, d'yn ni ddim hyd yn oed yn ymwybodol ohono fe. A dyma sy'n beryglus. Ma rhaid i ni ddal ati i atgoffa'n hunain – ac yn bwysicach, atgoffa ein gilydd – i gymryd sylw o'r ffordd ni'n ca'l ein trin, a lleisio barn pan nad ydyn ni'n teimlo ei fod yn deg, hyd yn oed os yw hynny'n groes graen i bawb arall.

Ma pa mor agos fyddwn ni at gyfartaledd yn dibynnu ar ba mor uchel wnawn ni sgrechian. Ma rhaid i ni chwerthin ar y rheini sy'n ein galw ni'n *snowflakes*, anwybyddu'r *bigots* sy'n ceisio'n perswadio ni ein bod ni'n gweud ffws am ddim byd, a dal i geisio amlygu'r llinell o be sy'n iawn a be sy ddim. Ddylai neb deimlo nad oes llais gyda nhw i siarad am yr hawl dros eu cyrff, a ddylai neb orfod troi at bornograffi i ddysgu am gyrff ac am ryw. Un o'r ffyrdd hawsa a mwya effeithiol o wneud hyn yw targedu'r system addysg fel bod y cenedlaethau newydd yn wybodus, yn ddeallus ac yn dangos parch tuag at ei gilydd.

Dyw aros i bethe newid ddim yn gweithio, ac yn anffodus ma rhaid i ni godi llais yn uchel er mwyn ca'l unrhyw fath o wrandawiad. Yr unig ffordd allwn ni geisio cydbwyso'r glorian 'ma yw drwy neidio ar ein hochr ni nes bod yr ochr drom arall yn teimlo rhywbeth, unrhyw beth! Gwneud y pethe bychain sydd angen. Dal ati i wneud y pethe bychain.

Owning our story and loving ourselves through that process is the bravest thing that we will ever do.

The Gifts of Imperfection Brené Brown

11
Wynebau

MARI MCNEILL

'Mae gan dlodi wyneb menyw.'

Menywod yw hanner poblogaeth ein byd. A yw'n syndod, felly, fod y mwyafrif ohonynt, ohonom ni, yn byw mewn tlodi absoliwt heddiw?

Heddiw, mae llawer llai o fenywod yn cwblhau addysg gynradd ac uwchradd na bechgyn.

Dim ond tua 22% o aelodau seneddol y byd sy'n fenywod.

Mae miliynau o fenywod yn cael eu gorfodi i briodi yn gynnar. Mae'r menywod yma yn llai tebygol o gwblhau addysg ysgol, yn fwy tebygol o brofi cymhlethdod yn ystod beichiogrwydd a geni plentyn, ac yn fwy tebygol o ddioddef trais domestig.

Mewn llawer o gymdeithasau, bydd genedigaeth bachgen yn cael ei ddathlu a'i werthfawrogi yn fwy nag un merch. Mae'r World Bank wedi amcangyfrif bod 1.56 miliwn o fenywod ar goll oherwydd babanladdiad.

Mae un ym mhob tri o fenywod yn debygol o brofi trais domestig.

Mae menywod yn llawer mwy tebygol o gael yr afiechyd HIV.

Mewn llawer o wledydd nid oes gan weddwon yr hawl i etifeddu eiddo'r gŵr.

Mae'r Cenhedloedd Unedig yn amcangyfrif bod trais yn erbyn menywod 15–44 oed yn achosi mwy o farwolaethau ac anableddau na – arhoswch amdani – malaria, cancr, damweiniau traffordd a rhyfel oll gyda'i gilydd.[1]

*

'Mae gan dlodi wyneb menyw.'

Beth yw eich ymateb i'r geiriau yma?

Hyd at ychydig o flynyddoedd yn ôl roedd y geiriau uchod yn gwbl estron i mi. Mae'n bosib i mi eu gweld ar-lein ar Ddiwrnod Rhyngwladol y Merched. Ni chefais fy argyhoeddi gan y gosodiad. Yn gyntaf, roedd y geiriau yn codi fy ngwrychyn. Yn ail, roedd y geiriau yn fy nrysu. Pam defnyddio wyneb menyw i gyfleu tlodi? Roedd yn diraddio merched, yn fy marn i. Onid yw dynion yn profi tlodi hefyd? Dyna'r cwestiynau oedd ar fy meddwl.

Deilliai fy nryswch o ddiffyg profiad, o bosib. Dwi wedi bod yn ffodus i gael fy magu mewn teulu lle nad oedd angen i mi orfeddwl am fod yn ferch neu'n fenyw. Yr argraff a roddwyd i fi oedd bod bywyd yn llawn cyfleoedd! Cefais

---

[1]   Cymorth Cristnogol. Detholiad o ddyfyniadau o *Of the Same Flesh* (2014) a *Gender Justice for All* (2014).

addysg feithrin, cynradd ac uwchradd yng Nghymru, ac addysg brifysgol yn Lloegr lle'r oedd bechgyn a merched yn derbyn yr un driniaeth. Normal, ie?

Ychydig o flynyddoedd yn ôl, yng nghefn gwlad Cambodia, cwrddais â merch o'r enw Louen. Merch ddeunaw oed, dim ond cwpwl o flynyddoedd yn iau na fi ar y pryd. Dyna lle'r oedden ni, yn eistedd ar lawr ar ein pengliniau, fel sy'n gyffredin yng ngwledydd Asia. Louen, yn ei gwisg ysgol smart – sgert hir a chrys gwyn – a finnau yn fy nillad teithio ac yn brwydro yn erbyn jet lag. Dyma Louen yn dechrau adrodd ei stori.

Pan oedd hi'n iau, mudodd ei rhieni i Wlad Thai, drws nesaf i Gambodia, gan adael Louen a'i brodyr a chwiorydd yng ngofal eu tad-cu. Erbyn i ni gwrdd, doedd Louen ddim yn cyfathrebu rhyw lawer gyda'i rhieni. Roedd siarad amdanyn nhw yn anodd iddi. Yna soniodd Louen am hanes ei chwiorydd hŷn a llenwodd ei llygaid â dagrau. Roedden nhw bellach wedi symud i Wlad Thai yn y gobaith o gael cyflog da a bywyd gwell ond nid oedd unrhyw gyswllt o gwbl rhyngddynt erbyn hyn. 'Rwy'n gweld eisiau fy nheulu,' meddai. Distawodd y grŵp wrth i ni sylweddoli beth roedd hi'n ei olygu.

I lawer yng Nghambodia, yn enwedig i fenywod, mae mudo i Wlad Thai yn aml yn golygu y byddwch yn cael eich ecsbloetio. Dyma'r tro cyntaf i effaith tlodi ar fenywod fy nharo.

Er caledwch a realiti bywyd Louen, roedd stori obeithiol ganddi i'w rhannu. Cawsom y sgwrs mewn canolfan addysg fechan yng nghefn gwlad Cambodia. Sefydlwyd y ganolfan i ddiogelu menywod ifanc rhag peryglon masnachu pobl (*human trafficking*). Cyn i Louen gyrraedd y ganolfan, roedd hi'n ennill $0.25 y diwrnod drwy helpu pobl i werthu pysgod. Roedd ei thad-cu yn rhy hen i weithio, felly roedd teulu Louen yn dibynnu ar garedigrwydd eu cymdogion am gefnogaeth ar adegau. Roedd Louen mewn risg mawr o gael ei masnachu i'r diwydiant rhyw – stori gyffredin ymysg menywod cymunedau gwledig a thlawd Cambodia pan mae'r teulu'n rhy dlawd i'w cefnogi. Y newyddion da oedd bod Louen a'i theulu wedi cael darn bach o dir i'w ffermio a thyfu reis er mwyn cychwyn busnes. Yn ogystal â hyn roedd Louen wedi symud i fyw ac i gael ei haddysgu mewn canolfan addysg. Doedd dim angen iddi boeni am ei theulu gartref ac felly roedd hi'n gallu canolbwyntio ar ei haddysg a'i dyfodol. Dywedodd ei bod yn gobeithio astudio cyfrifeg yn y brifysgol. Roedd hi'n ymwybodol ei bod hi nawr ymhlith rhai o fenywod mwyaf ffodus y wlad.

Ychydig ddyddiau'n ddiweddarach, ymwelais â dinas Battambang, sy'n agos iawn i'r ffin â Gwlad Thai. Dyna lle cyfarfûm â Sumaly. Roedd Sumaly yn arwain tîm oedd yn rhedeg canolfan ddiogelwch i fenywod oedd yn profi camdriniaeth hawliau dynol a thrais domestig. Dywedodd Sumaly wrthym mai oedran y merched a gyrhaeddai'r ganolfan oherwydd trais rhywiol ar gyfartaledd oedd 8–14 oed, ac oedran y merched a gyrhaeddai'r ganolfan o ganlyniad i drais domestig ar gyfartaledd oedd 35–50 oed.

Roedd Sumaly yn codi llais ac yn gweithredu er

mwyn herio'r *status quo*. Yn fisol byddai Sumaly yn trafod hawliau menywod, materion rhyw a gwaith y ganolfan ar y radio. Byddai Sumaly a'i thîm yn rhoi cyngor emosiynol i fenywod cyn iddyn nhw benderfynu dychwelyd adref. Os oedd menyw yn penderfynu dychwelyd adref, byddai aelod o'r cyngor menywod lleol yn cynnal trafodaeth â'i gŵr neu'r un oedd wedi troseddu, gan gynnig addysg i helpu'r berthynas rhwng dynion a menywod. Mewn sawl achos, roedd y gwaith syml ond beiddgar yma yn atal trais domestig yn y dyfodol. Roedd Sumaly yn beio'r cynnydd mewn trais rhywiol a domestig ar lygredigaeth o fewn y llywodraeth, ond hefyd ar ba mor hawdd yw hi i bobl ganfod pornograffi ar ffonau symudol a'r rhyngrwyd.

Ai wyneb menyw sydd gan dlodi, tybed? Ie, o bosib. Dyma oedd realiti sefyllfa Louen, Sumaly a llawer o fenywod eraill yng Nghambodia. Ond mae eu hanesion yn rhoi gobaith i mi. Gobaith fod pethau yn newid.

Rai blynyddoedd yn ddiweddarach, mi gwrddais â menyw briod, 50 mlwydd oed ac yn fam i saith o blant rhwng wyth a thri deg oed, y tu allan i Gitega, sy'n dref ym Murundi yn nwyrain Affrica. Ei henw hi oedd Leoncie. Eto, roedden ni'n eistedd ar y llawr, ond y tro hwn, roedd ein coesau wedi eu croesi, ymhlith grŵp lliwgar o fenywod. Roedd Leoncie yn gwisgo crys-t glas a darn o ffabrig lliwgar wedi ei lapio o amgylch ei chanol a'i phen.

★

Burundi yw un o wledydd tlotaf Affrica, un o wledydd tlota'r byd a dweud y gwir. Gwlad lle mae menywod yn cael eu gwthio i dlodi eithafol. Effeithiwyd ar bentref amaethyddol Leoncie gan drais y rhyfel cartref diweddar ym Murundi. Bu farw llawer o ddynion y pentref a disgwylid i Leoncie a'r menywod eraill ofalu am y plant amddifad. Dinistriwyd llawer o'r tir a niweidiwyd llawer o'r pentrefwyr yn seicolegol, ond doedd Leoncie ddim yn mynd i adael i'r pentref a'i drigolion syrthio i ddistryw. Aeth i geisio cyngor a chyflog.

O ganlyniad, dechreuodd menywod y pentref dderbyn addysg iechyd, ffermio, llythrennedd, cynllunio teuluol a bancio cymunedol. Maent wedi sefydlu darnau o dir cymunedol er mwyn addysgu a dysgu sgiliau ffermio newydd a thyfu cnydau. Yn ogystal â hyn, cawsant hyfforddiant ar drefnu cymunedol. Bob wythnos daw menywod y pentref at ei gilydd mewn grwpiau – llywydd ac ysgrifennydd i bob un – er mwyn arbed arian, rhannu adnoddau, a dysgu oddi wrth ei gilydd. Bob tro bydd anifail newydd yn cael ei eni – buwch, cyw iâr, gafr – mae'r menywod yn rhannu'r anifeiliaid â phobl fwyaf bregus y gymuned.

Er bod bywyd yn anodd i Leoncie hyd yn oed wedi'r datblygiadau hyn, ymfalchïai yn y gwaith a'r datblygiadau positif. Dros y blynyddoedd diwethaf gwellodd iechyd y pentrefwyr ac mae banc y pentref yn galluogi'r menywod i gydweithio yn ystod amseroedd caled.

Un prynhawn cefais wahoddiad i ymuno â'r menywod yn y caeau er mwyn helpu i blannu cnydau. Fi, a'r menywod cryf a oedd wedi ymbweru eu hunain. Anghofia i fyth mohonyn nhw'n chwerthin arna i wrth i fi straffaglu i godi'r hof!

Ai wyneb menyw sydd gan dlodi, tybed? Ie, mae'n bosib. Roedden nhw'n dlawd iawn ond eto mor gryf a phenderfynol i ofalu am ei gilydd ac i herio'r drefn gan geisio rhoi'r cyfleoedd gorau i'w teuluoedd a'u cymdogion. Wn i ddim beth ddigwyddodd i Louen, Sumaly na Leoncie. Ble maen nhw? Beth maen nhw'n ei wneud? Ond mae eu hanesion yn dal i'm calonogi. Rwy'n hyderus eu bod nhw'n dal ati i herio'r drefn. Mae eu hanes yn ficrocosm o hanes menywod ar draws y byd sy'n byw mewn tlodi eithafol.

Mae rhywedd yn rhywbeth sy'n effeithio ar bob un ohonom. Mae'n effeithio ar y dewisiadau y byddwn yn eu gwneud ym mhob sffêr o'n bywydau – o wleidyddiaeth, iechyd, economeg, cymdeithas, i'n bywydau personol – ar bob lefel, o'r cartref i fusnesau mawr a'r fforymau gwleidyddol rhyngwladol.

Tra bydd pethau eraill fel ein hoedran, ethnigrwydd, cast, rhywioldeb ac anabledd yn cael effaith fawr arnom, mae rhywedd yn treiddio i bopeth. Mae ei oblygiadau arnom i gyd.

Credaf fod gan bob merch urddas a gwerth anfeidrol. Ar ôl cwrdd â Louen, Sumaly a Leoncie, credaf mai un o'r pethau pwysicaf y gallaf ei wneud yw rhannu hanesion unigolion fel y rhain gan ddangos y wynebau o gig a gwaed sydd y tu ôl i'r ymadroddion a'r ffigyrau. Dyna sut y gallaf lunio darlun cliriach o'r anghyfiawnder sydd o'n cwmpas ni. Dyna sut y gallaf ddathlu'r llwyddiannau a chrio am y caledi. Dyna sut y gallaf gydsefyll gyda'm chwiorydd ar draws y byd.

Felly, dyma glywed rhagor o leisiau'r wynebau sydd y tu ôl i'r ffigyrau. Pobl nad wyf wedi cwrdd â nhw.

Elineide a Fran

Mae Elineide yn arwain y frwydr yn erbyn trais yn erbyn menywod ym Mrasil. Ar ôl gweld trais domestig yn erbyn ei chwaer, ac ar ôl profi cefnogaeth menywod ei heglwys, dyma Elineide yn dod yn gydlynydd tŷ diogel ym Mrasil.

'Ym Mrasil, caiff menyw ei threisio bob 24 eiliad,' meddai Elineide.

Mae hi wedi bod yn rhoi cymorth i fenywod fel Fran.

Am 12 mlynedd, dros hanner ei bywyd, roedd Fran yn briod â dyn oedd yn ei churo a'i cham-drin. Mae Fran yn ymwybodol iawn o sut beth yw hi i brofi ofn. Wedi un ymosodiad creulon iawn, ffodd Fran gan ddarganfod noddfa yn nhŷ diogel Elineide ac aros am dri mis. Yn ystod ei harhosiad sylwodd Fran fod ganddi gyfle i brofi bywyd newydd. Derbyniodd gefnogaeth seicolegol a hyfforddiant mewn gwaith crefft. Erbyn hyn mae'n rhoi ei bryd ar ddychwelyd i'r ysgol a cheisio cael gyrfa yn yr heddlu. Ei dymuniad yw helpu menywod eraill sy'n dioddef trais domestig gan godi ymwybyddiaeth am waith y ganolfan ac annog merched i hysbysu'r awdurdodau am y troseddau.

Wynebau caredig. Wynebau sy'n herio.

Iye a Rebecca

Mae Iye a Rebecca yn byw yn Sierra Leone lle mae'r diwylliant patriarchaidd traddodiadol yn golygu nad oes gan fenywod lawer o bŵer na llais yn eu cymunedau. Golyga hyn fod gan fenywod lai o gyfle i gael eu clywed gan eu llywodraeth a hyd yn oed llai o gyfle i gael eu *cynrychioli* yn y llywodraeth.

'Rydyn ni'n dal yn stryglo i gael pobl i gredu ein bod ni'n gallu arwain cystal â dynion,' meddai Rebecca rai wythnosau cyn etholiadau seneddol diweddar Sierra Leone. Yn 41 oed, roedd Rebecca ymhlith ymgeiswyr seneddol ardal Kono.

Bu Iye, a hithau'n 52 oed, yn sefyll etholiad fel ymgeisydd ar gyfer y cyngor lleol yn ardal Kailahun.

'Dwi eisiau Sierra Leone gwell. Mae hyn yn ddechreuad,' meddai. 'Rwyf wedi dioddef llawer, do'n i heb orffen ysgol, ches i ddim addysg dda ac rwy'n gweld llawer o bobl eraill yn dioddef. Dwi ddim eisiau i ferched a menywod ddioddef fel y gwnes i. Dwi am iddyn nhw fod yn llygaid i'r genedl. Fy nod yw gweld menywod a phlant yn byw fel y dylen nhw a phrofi bywyd gwell.'

Bu Iye a Rebecca ymhlith grŵp o fenywod a dderbyniodd gefnogaeth a hyder gan fudiadau lleol i gynyddu eu dealltwriaeth o hawliau menywod a'u hannog i sefyll mewn etholiadau lleol a seneddol.

Meddai Rebecca: 'Rydyn ni am weld cynnydd yng nghynrychiolaeth menywod mewn penderfyniadau, a gwleidyddiaeth yw'r llwyfan uchaf. Byddwn yn sicrhau na fydd menywod yn cael eu gadael allan. Dechreuwn gyda'r menywod – mae ganddyn nhw syniadau, maen nhw'n gweithio'n galed – eu hannog nhw a'u nerthu nhw. Os enillaf, byddaf yn teimlo fy mod wedi torri record. Nid oes menyw erioed wedi cynrychioli ardal Kono yn y senedd. Byddaf yn agor y drws i adael mwy o fenywod trwyddo. Fydd ennill ddim jyst yn golygu ennill fel unigolyn, byddaf yn ennill dros bob menyw yn Kono.'

Rai wythnosau'n ddiweddarach, dyma'r newydd yn cyrraedd bod Rebecca Yei Kamara wedi ei hethol yn aelod seneddol Kono.

Wynebau pwerus ac ysbrydoledig. Wynebau sy'n herio.

★

Mae'r straeon yma – am fenywod fel fi – yn fy ysgogi i gofio pwysigrwydd wynebau a rhannu eu straeon. Dyma be sy'n helpu ni i gydsefyll mewn undod. Mae'r straeon yn fy atgoffa fod pob cam ymlaen tuag at gyfiawnder a chydraddoldeb yn dod yn ôl i'r unigolion y tu hwnt i'r ffigyrau sydd weithiau'n ein dychryn a'n harwain at ddiogi neu segurdod.

Ai wyneb menyw sydd gan dlodi? Hmm, ddim bob tro. Ond yn sicr mae'r geiriau yn pryfocio ymateb ynom. A dyna'r pwynt, o bosib. Mae'n fy mhrocio i gofio bod tlodi ac anghyfiawnder yn gymhleth ac eang. Mae'n fy mhrocio i beidio esgeuluso realiti'r byd o'm cwmpas, lle bydd anghyfiawnder ar sail rhywedd yn cyfyngu ar hawliau a photensial menywod yn fyd-eang. Mae'n fy annog i barhau yn y gwaith o geisio bywyd gwell i bawb.

Beth amdanat ti?

Mae'r straeon yma yn adlewyrchu profiadau personol a gwaith mudiad Cymorth Cristnogol, sydd yn gweithio i herio tlodi yn fyd-eang. Mae Cymorth Cristnogol yn gweithio gyda rhai o'r menywod mwyaf ymylol – menywod wedi'u heithrio oherwydd rhyw, ac sydd yn dioddef anghyfiawnder ar sail hunaniaeth – ac yn gweithio tuag at gydraddoldeb.

How can we effect change in the world
when only half of it is invited or feel welcome
to participate in the conversation?

Emma Watson

12

Merched a'r We

ELENA CRESCI

Weithiau mae gen i hiraeth am fy niwrnodau cynnar ar y we. Ac ydw, rwy'n sôn am yr amser pan oedd sgrech y modem yn gwneud i Mam weiddi lan y grisiau achos ro'n i neu fy mrawd yn blocio'r llinell ffôn. *Stick with me*, mae gen i reswm dros ddweud hyn. Yn ystod y dyddiau cynnar yna, roedd fy holl fywyd ar-lein yn troelli o gwmpas cymunedau bychain mewn llecynnau o'r we.

Fe wnes i gwrdd â'm pen-pal cyntaf ar wefan o'r enw Neopets, sef gwefan lle gallai pobl greu anifeiliaid digidol. Dwi'n cofio Mam a Dad yn becso tipyn nad Melanie o America oedd y Melanie o America roedd hi'n honni i fod. Ond, yn lwcus i fi, doedd Melanie ddim yn ddyn canol oed oedd yn rili hoffi creu dreigiau digidol ar-lein. Roedd hi'n ferch ifanc arall, gyda rhieni oedd hefyd yn becso nad Elena o Gymru oeddwn i, fel roeddwn i'n ei honni. Dyna'r tro cyntaf i fi wneud ffrind go iawn dros y we.

Yn ddiweddrach yn fy mywyd ar-lein, tua'r un pryd y ffarweliodd fy nheulu â'r modem hyll a dweud helô wrth

WLAN, darganfyddais *fan fiction*. Roeddwn i'n blydi obsesd gyda Harry Potter. Obsesd! Y cyfan roeddwn i eisiau mewn bywyd oedd bod yn awdures yn union fel JK Rowling. Yn yr ysgol, llenwais lyfr ar ôl llyfr â straeon oedd, *really and truly*, yn *cheap knock-offs* o Harry Potter.

Hei, mae'n rhaid i bawb ymarfer! Ac ar-lein ffeindiais i ferched eraill oedd yn troi obsesiwn yn llenyddiaeth. Nawr, mae lot o bobl yn siarad shit am *fan fiction* achos… wel… mae lot o *fan fiction* yn shit. *Fan fiction* yw'r rheswm y cawson ni *50 Shades of Grey* – diolch yn fawr *Twilight*! Dwi'n cofio un athrawes yn yr ysgol a oedd yn casáu *fan fiction*. Fe ddarganfyddodd hi un o'm llyfrau gyda'r chydig 'nes i sgwennu ynddo. Fe ddwedodd hi wrtha i 'mod i'n gwastraffu fy nhalent yn sgwennu rwtsh fel yna. Doedd hi ddim yn hollol anghywir – roedd y stwff yn sbwriel llwyr. Ond, i mi, po fwyaf yr ymarfer, y gorau roedd y sgwennu. Dyma sut roedd lot o ferched ifanc ar y pryd yn magu hyder wrth sgwennu, wrth greu straeon gyda chymeriadau cyfarwydd. Mae rhai o'r *fanficcers* wedi mynd ymlaen i sgwennu straeon gwreiddiol eu hunain.

Y gymuned olaf yr ymunais â hi cyn i'm cyfnod di-enw ar y we ddod i ben (diolch i Myspace a Facebook) oedd LiveJournal. Ar Neopets, darganfyddais sut i wneud ffrindiau. Ar Fanfiction mi ges i siawns i sgwennu crap heb gael fy meirniadu. Ond ar LiveJournal, gwelais am y tro cyntaf sut roedd menywod yn creu busnesau ar eu telerau eu hunain. Roedd un grŵp o'r enw T-Shirt Surgery, lle byddai pobl yn gwneud pethau reit greadigol gyda chrysau-t bandiau emo. Roedd un ferch yn trawsnewid hen grysau-t Marilyn Manson a My Chemical Romance i mewn i ffrogiau lliwgar, neu'n newid crys-t dyn i mewn i rywbeth oedd yn fwy o hwyl. Ymhen amser, dechreuodd werthu'r rhain ar eBay. Wedyn dechreuodd ddylunio ei cholur ei hun ac erbyn hyn mae ganddi fusnes llwyddiannus sy'n gwerthu colur i *drag queens* enwog. Os ydych chi'n gwylio *RuPaul's Drag Race*, rydych chi'n bendant wedi gweld ei cholur.

Fe wnaeth y cymunedau yma fy siapio i mewn i'r person yr ydw i heddiw; o'r dechreuadau yn gwneud ffrindiau ar Neopets i gael swyddi drwy'r cysylltiadau a gefais ar Twitter. Dechreuais drwy sgwennu shit *fan fiction*, nawr dwi'n sgwennu fy llyfr cyntaf. Drwy'r entrepreneurs o LiveJournal sylweddolais gallwn innau hefyd dalu'r biliau drwy ddefnyddio fy noniau ar-lein.

Yn aml, dyma'r cymunedau y bydd pobl yn ffroenuchel yn eu cylch – ac nid cyd-ddigwyddiad yw eu bod nhw'n gymunedau o fenywod. Rwy'n meddwl lot am sut fydd pobl, wel, dynion, yn siarad am ferched ifanc sy'n ffans o Justin Bieber neu One Direction. Mae'r mwyafrif ohonynt yn ferched ifanc sydd ag obsesiwn gyda'r sêr pop yma yn yr un ffordd ag yr oedd gen i obsesiwn â Harry Potter. Yn lle llenwi safleoedd *fan fiction*, maen nhw'n llenwi Twitter a Tumblr gyda *memes*. Am amser, roedd dynion y papurau newydd yn meddwl eu bod nhw'n medru harnesu pŵer y merched ifanc yma drwy roi 'One Direction' yn eu penawdau – achos roedden nhw'n meddwl y byddai'r merched ifanc twp yn clicio ar unrhyw beth oedd yn cynnwys y geiriau hud yn y pennawd. Ystyriwch hyn: bu'n rhaid i Twitter newid ei algorithm yn llwyr oherwydd sylwodd y merched sut i drin algorithm Twitter er mwyn rhoi enw Justin Bieber ar y *trending topics* bob diwrnod. Rhain yw'r merched a fydd yn rhedeg ein cyfryngau cyn bo hir.

Mae yna, wrth gwrs, ddwy ochr i'r we. Ar un ochr, mae'r hen system yn dal mewn grym, a menywod yn gorfod delio â chamdriniaeth a bygythiadau o drais drwy'r amser. O fewn hynny, rhaid i fenywod o dras ethnig ddelio â hiliaeth o bob tu, ac mae menyw traws yn gweld trawsffobia bron yn ddyddiol yn y papurau newydd, tra bod menywod ag anabledd yn ceisio bodoli mewn byd nad yw wedi ei adeiladu ar eu cyfer. Mae patriarchaeth a goruchafiaeth y dyn gwyn yn parhau o hyd, ac mae dal llawer o waith i'w wneud.

Ond. Ar yr ochr arall, mae'r we wedi rhoi llais i fenywod yn fwy nag unrhyw ddyfais arall erioed. Yn hytrach na dibynnu ar fympwyon dynion, wrth i'r we ddatblygu fe dyfodd lleisiau menywod hefyd. Dro ar ôl tro, cymuned ar ôl cymuned, bydd menywod o bob math yn defnyddio eu cymunedau ar y we i greu pethau rhyfeddol. Mae gan bob un ohonyn nhw stori fel fy un i, sy'n dechrau drwy sôn am yr amser y bydden nhw'n chwarae o gwmpas ar wefan am hwyl.

It took me quite a long time to develop a voice,
and now that I have it, I am not going to be silent.

Madeleine Albright

13
Cyfweliad gyda KIZZY CRAWFORD

Mae Kizzy Crawford, 22 oed, yn gerddor o Ferthyr Tudful ac mae hi wedi ysgrifennu am gyfartaledd i ferched yn ei chaneuon. Mae'n ystyried ei hun yn Gymraes Gymraeg sydd â'i theulu yn hanu o Loegr a Barbados.

Un o'r pynciau sy'n ymddangos yn dy ganeuon yw cyfartaledd i ferched. Beth sydd wedi dy annog i ysgrifennu am hyn?

Dwi wedi tyfu lan mewn teulu o fenywod yn bennaf. Doedd fy nhad ddim o gwmpas rili, felly ro'n i'n edmygu menywod cryf fel fy mam. Hefyd, ro'n i'n edmygu menywod cryf mewn cerddoriaeth ac roedd eu cerddoriaeth yn cyflwyno'i hun i fi. Roedd Mam yn gwneud i fi feddwl am sut roedd menywod yn cael eu trin – ar y teledu, ar-lein a thrwy hanes, felly roedd wastad gen i ymwybyddiaeth o hynny. Roedd Mam-gu hefyd yn siarad am y ffaith y bu'n rhaid iddi roi'r gorau i'w swydd pan briododd ac nad oedd ganddi gyfrif banc ei hun. Felly dwi wastad wedi bod yn awyddus i annog merched i fod yn gryf ac i siarad drostyn nhw eu hunain. Dwi'n ysgrifennu lot am bethau sy'n ymbweru merched – i fod yn falch ohonot ti dy hun ac i gredu ynddot ti dy hun. Mae fy nylanwad yn dod o'r pethau 'nes i ddysgu wrth dyfu lan: sut wnes i weld fy mam yn cael ei thrin er enghraifft, mewn perthnasau, sut cefais i fy nhrin yn yr ysgol a gweld bod merched yn cael eu trin yn wahanol i fechgyn.

Oes gen ti enghreifftiau o ganeuon fel hyn?
Roedd un o'r caneuon cyntaf wnes i ei hysgrifennu, 'Tyfu Lan', yn sôn am berthynas Mam a'i phartner ar y pryd yn chwalu, ac roedd yn gyfnod anodd iawn i'r teulu cyfan. Roedd rhaid i ni edrych ar ôl ein gilydd gan ei bod hi'n amser trist i ni i gyd. Fe wnes i ddechrau ysgrifennu caneuon yr un adeg ag y gwnaeth y berthynas orffen, felly mewn ffordd dyna oedd y catalydd i fi ddechrau cyfansoddi. Roedden ni'n siarad lot fel teulu am sut roedden ni'n teimlo ac am beth oedd yn digwydd yn ystod ein hwythnos, fel rhyw fath o therapi.

Fe ysgrifennais i'r gân 'Y Drudwy' pan oeddwn i'n astudio Cymraeg yn yr ysgol a chael fy ysbrydoli gan farddoniaeth Gymraeg a'r Mabinogi. Roedd perthynas newydd ddod i ben ac felly mae'r gân yn gymysgiad o'm teimladau i ar ôl i'r berthynas orffen a theimladau Branwen – roeddwn i'n cymharu fy hun â Branwen mewn ffordd. Os yw un o fy nghaneuon yn dechrau'n ddiobaith rwy eisiau i'r gân orffen â chryfder a rhoi nerth. Felly mae'n gân am symud ymlaen ac yn seiliedig ar y chwedl.

Mae llawer o 'nghaneuon newydd i yr un peth – yn ceisio annog pobl i weld y golau y tu fewn i ti dy hunan, ac yn cario'r neges fod pawb yn brydferth ar y tu mewn a'r tu fas. Rwy'n tueddu i ddod â'r neges yma i mewn i bob cân dwi'n sgwennu, ac mae 'na drosiadau ym mhob cân oherwydd rwy'n hoffi ysgrifennu'n drosiadol. Bydd 'na wastad rhyw brofiad neu stori yn y caneuon.

Rwyt ti'n ferch, ond wrth gwrs rwyt ti'n hil-gymysg a hefyd yn Gymraes, ac felly'n perthyn i sawl lleiafrif. Sut brofiad oedd cael dy fagu yng Nghymru?

Do'n i ddim yn hoffi'r ysgol ac mae'n siŵr mai un o'r rhesymau am hynny oedd am fy mod yn symud o gwmpas yn aml ac yn gorfod gwneud ffrindiau newydd bob tro. Yn yr ysgol ro'n i'n teimlo ein bod ni'n astudio pynciau penodol heb gael cyfle i ystyried pethau fel gofalu amdanat ti dy hunan, ar ôl dy enaid a dy feddwl – does dim lot o hynna'n digwydd yn yr ysgolion, sai'n credu. Ac mae'n galetach i ferched – roedd e'n galed i fi – ac ro'n i angen ysbrydoliaeth a phobl i edrych lan atyn nhw a dweud ei bod hi'n bwysig i garu ti dy hun.

Doedd 'na ddim lot o bobl yn edrych fel fi – fi oedd yr unig un hil-gymysg yn yr ysgol ac roedd hynna'n gwneud i fi deimlo'n wahanol. Roedd plant yn pigo arna i ac oedd, roedd yn brifo. Ro'n i'n ei chael hi'n anodd i wneud ffrindiau felly roeddwn i ar fy mhen fy hun lot. Beth wnaeth i fi deimlo'n gyfforddus oedd yr iaith Gymraeg, canu mewn eisteddfodau a bod ar lwyfan yn chwarae'r ffidil a chael cyfle i fod yn greadigol. Hynna wnaeth fy helpu i i fynd drwy'r ysgol.

Mae fy chwaer Neli yn *non-binary* (neu *gender-fluid*, h.y. person sydd ddim yn cyfri ei hun i fod yn wrywaidd nac yn fenywaidd, neu berson sydd yn cydnabod ei fod yn wrywaidd ac yn fenywaidd) ac rwy wedi dysgu llawer yn ddiweddar am hyn oherwydd do'n i ddim yn gwybod llawer amdano cynt. Mae hi wedi cael profiad o bobl yn pigo arni yn yr ysgol, ond nawr mae hi wedi creu grŵp o'r enw Perthyn ar gyfer pobl sy'n teimlo allan o le, ac nad yw pobl eraill yn defnyddio'r rhagenwau 'hi' neu 'fe' cywir. Mae hi wedi ennill gwobr am ei gwaith. Mae hi'n ysbrydoliaeth i fi.

Beth yw dy brofiad o fod yn siaradwraig Gymraeg ac yn hil-gymysg?

Hyd yn oed pan dwi'n gwneud gwaith cyfrwng Cymraeg, ac mae pawb yn deall ei bod hi'n swydd Gymraeg, bydd rhywun yn siŵr o ofyn i fi os dwi'n gallu siarad Cymraeg. Wel, wrth gwrs fy mod i. Rwy wedi byw gyda hyn ar hyd fy mywyd felly dyw e ddim yn fy moddran i bellach. Rwy'n poeni bod pobl yn meddwl mai dysgwraig ydw i, ond rwy'n ystyried fy hun yn Gymraeg ac fe wnes i dyfu lan yn siarad Cymraeg. A dweud y gwir, fe wnes i ffeindio fy hun drwy siarad Cymraeg, a fyddwn i byth wedi gwneud cerddoriaeth heb siarad Cymraeg. Dyna ysbrydolodd fi i gymryd canu o ddifri, a chanu a chyfansoddi yn Gymraeg wnes i yn gyntaf. Yn sicr mae pethau'n gwella o ran gweld pobl Cymraeg, hil-gymysg ar y teledu.

Wyt ti wedi profi rhywiaeth o gwbl fel cerddor?

Rwy wedi profi'r peth ond efallai nad oedd yn fwriadol. Ac rwy wedi cael fy nhrin yn wahanol gan fy mod i'n ferch, yn enwedig pan ro'n i'n dechrau mas ac yn gwneud gigs bach. Pan 'nes i gychwyn defnyddio'r *loop pedal* ges i drafferth gyda'r dynion sain wrth 'mod i'n gosod yr offer ar lwyfan. Dwi ddim gwybod lot am bethau technegol ac rwy'n dal i ddysgu am hynna nawr. Ond ro'n i wedi dechrau gwneud gigs gyda'r *loop* ac roedd pobl yn hoffi beth o'n i'n gwneud ac ro'n i'n ei hoffi fe hefyd. Doedd y dynion sain ddim yn cymryd fi o ddifri pan ro'n i'n gosod pethau, yn credu nad o'n i'n gwybod beth o'n i'n gwneud felly doedden nhw ddim yn helpu rhyw lawer cyn y gìg. Ond ar ôl i fi berfformio roedden nhw'n dod ata i a dweud, 'You're actually really good!'

Wyt ti'n gweld bod dynion yn fwy hyderus na merched wrth wthio eu gwaith a gwneud pethau'n gyhoeddus?

Rhaid i fi ddweud mai fi sy'n achosi diffyg hyder yndda i fy hun yn fwy na rhywun arall. Dwi byth yn hapus gyda beth rwy'n ei wneud ac mae'n bwysig i siarad am bethau fel hyn a chymell merched i fod yn gryf ac i gadw'n bositif.

Rwy'n meddwl bod pethau fel #metoo yn ffordd o glywed lleisiau menywod, ac mae'r cyfryngau cymdeithasol yn ffordd i ddangos bod menywod yn gwneud pethau anhygoel. Gallwn ddefnyddio'r we i gael ein llais yn gryfach fyth. Mae 'na lwyth o bobl ifanc yn mynd ar-lein ac yn defnyddio'r platfformau yma ac yn gweld pethau sy'n gwneud gwahaniaeth. Rydyn ni angen mwy o bethau positif am ferched ar y we.

Beth ddylai merched fod yn canolbwyntio arno o ran ymgyrchoedd neu ffocws?

Rwy'n credu ei bod hi'n bwysig i ferched godi llais am gael eu trin yn wael mewn perthynas. Mae 'na lot o bethau i siarad am hynna o hyd ac mae'n bwysig i fenywod a dynion ifanc ddysgu am y peth. Hefyd byddai'n dda i bobl ifanc ddysgu mwy yn yr ysgol am sut i drin person arall.

Dylai fod ffyrdd gwell o ddysgu – mae ganddon ni grefydd oedd yn ddylanwad pwysig arna i yn yr ysgol. Roedden ni'n gweddïo yn yr ysgol gynradd yn y bore, amser cinio a chyn mynd adref ac yn dysgu am beth roedd Iesu Grist yn credu ynddo. Mae'r rhan fwyaf o ysgolion yn gwneud hyn ac mae'n dysgu gwerthoedd i blant. Dwi ddim yn grefyddol – rwy'n berson ysbrydol. Rwy'n credu bod 'na Dduw ond mai egni yw e, ond mae pethau ni'n dysgu trwy grefydd am sut i drin person yn bwysig.

Cerrig milltir pwysig yng Nghymru

1850   Cyhoeddi cylchgrawn Cymraeg cyntaf i ferched (*Y Gymraes*).

1865   Y Cymry ym Mhatagonia yn rhoi'r hawl i ferched i bleidleisio.

1871   Rose Crawshay yn cael ei hethol ar gorff cyhoeddus (Bwrdd Ysgolion Merthyr Tydfil).

1872   Coleg hyfforddi athrawesau ifanc yn agor yn Abertawe.

1883   Prifysgol Caerdydd yn caniatáu derbyn merched fel myfyrwyr.

1885   Y ferch gyntaf i fod yn feddyg yng Nghymru: Frances Hoggan.

1886   Sefydlu Cymdeithas i Hyrwyddo Addysg Merched Cymru.

1891   Byddin yr Iachawdwriaeth yn agor lloches i ferched yng Nghaerdydd – y cyntaf y tu allan i Lundain.

1896   Martha Hughes Cannon o Landudno – y ferch gyntaf i gael ei hethol yn seneddwraig yn UDA.

1907   Sefydlu Mudiad Suffrage yn Llandudno.

1912   Irene Steer o Gaerdydd yn ennill Medal Aur yng Ngemau Olympaidd Stockholm, am nofio 400 metr.

1915   Cangen gyntaf o Sefydliad y Merched yn cael ei sefydlu, a hynny yn Llanfair Pwllgwyngyll.

1929   Megan Lloyd George yn cael ei hethol yn Aelod
        Seneddol dros Ynys Môn.

1967   Sefydlu Merched y Wawr.

1981   Gwersyll merched Greenham Common yn cael ei
        sefydlu gan 36 o ferched o Gaerdydd.

Hanes 11 o bobl y mae problemau iechyd meddwl wedi effeithio arnynt ond sydd wedi dod drwyddi. Mae eu straeon yn ysgytwol o onest, ond yn llawn gobaith am y dyfodol.

£7.99

Ymateb 14 o bobl sydd wedi bod trwy'r camau o alaru ar ôl colli brawd, chwaer, ffrind, mab, merch, tad, mam neu gymar. Mae stori pob un yn unigryw ac yn ddirdynnol.

£7.99

Am restr gyflawn o lyfrau'r Lolfa, mynnwch
gopi am ddim o'n catalog
neu hwyliwch i mewn i'n gwefan

www.ylolfa.com

lle gallwch archebu llyfrau ar-lein.

TALYBONT CEREDIGION CYMRU SY24 5HE
ebost ylolfa@ylolfa.com
gwefan www.ylolfa.com
ffôn 01970 832 304
ffacs 832 782

Argraffwyd gan Y Lolfa
Holwch am bris